新世紀「コロナ後」を生き抜く

佐藤優

To Survive
the New Century "Post-COVID-19"

Masaru Sato

新潮社

目次

新世紀「コロナ後」を生き抜く

まえがき

本書の目的は、英国の歴史学者エリック・ホブズボームの歴史書『20世紀の歴史』、アルベール・カミュの小説『ペスト』という国際的に定評のあるテキストの読み解きを通じて、今、世界と日本で起きている出来事の本質を自分でつかむ力をつけることだ。ここで重要になるのが時間概念だ。ギリシア語では、2つの時間概念が存在する。第一は、流れる時間を表すクロノスだ。英語のタイム（time）にあたる。第二は、ある出来事が起きる前と後では、歴史に断絶が生じるという意味の時間を示すカイロスだ。英語だとタイミング（timing）に相当する。

２０２０年は世界にとってカイロスだった。それは、想定外のコロナ禍が起きたからだ。コロナ禍により、グローバリゼーションに歯止めがかかり、国家の壁が再び大きな意味を持つようになった。ステイホームで経済が停滞した。リモートワークが導入された。その結果、成果主義が強まった。また、リモートワークができない職種に従事する人々の負担も増加した。教育でも一斉休校やリモート化によって、学校間の格差が拡大した。コロナ禍によって、国家間、国内地域間、階級間、ジェンダー間の格差が拡大した。この傾向は今後も続く。特に構造的に弱い立場に置かれた人が、社会的底辺に追いやられ、這い上がれなくなった。

コロナ禍が、米国と日本で政権交代を起こした。これもカイロスになる。

11月3日に行われたアメリカ大統領選挙で、現職のトランプ大統領（共和党）を破って民主党のバイデン候補（前副大統領）が当選した。バイデン氏が大統領に就任しても米国内政治の混乱は収まらない。トランプ氏を支持した人々はバイデン大統領の正統性を認めないであろう。米国は政治的に2つのカテゴリーに分かれる。さらに民主党支持者に関しては、トランプ氏という共通の敵を失った後、団結が難しくなる。なぜなら民主党がアイデンティティの政治を追求しているからだ。黒人、ヒスパニック、ジェンダー、エスニック・グループなど、自らが帰属する集団のアイデンティティを最優先する人々が垣根を越えて団結するのは至難の業だ。米国の社会的分断はさらに加速するであろう。

外交に関して、米国と中国、北朝鮮との関係は、現在よりも緊張すると思う。民主党は、自由や人権といった民主主義の価値観を軸に外交を展開する。トランプ大統領の場合、価値観よりも、自らの権力基盤を強化するための取り引き（ディール）を重視した。この例が、トランプ氏と北朝鮮の金正恩《キムジョンウン》朝鮮労働党委員長との三度の首脳会談だ。その結果、朝鮮半島での武力衝突を回避することはできたが、北朝鮮の核保有を米国が事実上、容認することになった。また、米国は北朝鮮の新型弾道ミサイル開発を阻止することもできなかった。バイデン氏は、トランプ政権よりも強硬な態度を北朝鮮に対して取ることは間違いない。北朝鮮も対米対決姿勢を強めるであろう。

トランプ政権時代の対中国経済制裁は、バイデン政権になっても継続される。さらに中国におけるウイグル人の人権抑圧、非公認のキリスト教会に対する弾圧について、人権を重視する立場から、米国は中国に対する批判を一層強めるであろう。

7月24日に在ヒューストン中国総領事館が閉鎖された際の米高級紙「ウォール・ストリート・ジャーナル」の社説が情勢分析の上で参考になる。〈1つ懸念されるのは、中国政府が米国の新たな姿勢をトランプ大統領による選挙戦略の1つだとして切り捨てる恐れがあることだ。／それは過ちになるだろう。例えば、民主党は米国の対イラン措置を厳しく批判しているものの、トランプ政権が中国政府を攻撃しても、それを支持したり、黙認したりする姿勢を示している。この新たな姿勢は、ブルーカラーの有権者から産業界および安全保障分野のエリートに至るまでの層の間で、中国があまりにも長い間、罪を逃れ過ぎているとのコンセンサスが生まれつつあることを反映している。ジョー・バイデン氏が次の大統領になったとしても、その政権は、西太平洋の緊張した状況と、米国内における中国の影響力を標的として進められている多数のスパイ防止活動や刑事捜査を受け継ぐことになる〉（7月27日「ウォール・ストリート・ジャーナル」日本版）。新型コロナウイルスによる感染症が中国の武漢から拡大したことによって、米国の一般国民の対中感情が悪化した。それが政治問題と結びつき、中国を懲罰するタイミングに至ったとのコンセンサスが米社会で形成されている。バイデン政権下、米中緊張が一層強まる。

日本との同盟関係を重視するという米国の基本的姿勢に変化はない。ただし、慰安婦問題や徴用工問題に関して、韓国のロビー活動に対する米政府の姿勢に変化が生じる可能性がある。

8月28日に安倍晋三首相が突如、辞意を表明した背景にも、コロナ禍がある。辞意表明の理由は持病の潰瘍性大腸炎の悪化だったが、コロナ対策下でのストレスが安倍氏の健康に悪影響を与えた。コロナ禍がなければ、現在も安倍政権が続いていたと思う。9月14日、自民党の総裁選挙が行われ、菅義偉氏（官房長官）が377票、岸田文雄氏（元外相）が89票、石破茂氏（元防衛相）が68票を獲得した。同16日、衆議院と参議院の本会議で菅氏が首相に指名された。このような結果になったことを解く鍵が、7年8カ月続いた安倍長期政権の構造にある。

安倍政権の特徴は、当初、右派政治家としての安倍晋三氏のカリスマ性にあったが、政権が長期化する過程でそれがシステムに転換したというのが筆者の仮説だ。筆者の造語であるが「首相機関説」で見た方が、安倍政権の本質がよくわかる。カリスマ型の政治統治を貫き、自らのイニシアティブで政治を進めた小泉純一郎元首相とは異なり、安倍氏は側近に政策の立案を任せていた。側近からあがってくる政策で、安倍氏がやりたい事柄についてはアクセルを踏み、やりたくない場合はブレーキをかけるというスタイルをとった。これは、太平洋戦争前と戦中に重臣が裁可を求めて上げてくる政策に同意できないと不機嫌に横を向いたという昭和天皇の統治スタイルに似ていた。

菅政権においても「首相機関」という構造は基本的に維持される。というよりも、このシステムを維持するために、菅氏が首相に選ばれたと見るべきだ。「首相機関」を維持するためには、菅氏、岸田氏のいずれが首相になっても違いはなかった。ただし、システムの強度は異なる。菅氏の方が「首相機関」というシステムが強くなると、自民党の国会議員と地方議員、党員が無意識のうちに考えたので、菅政権が誕生したのだ。

ここで重要なのは、システムを維持しようという力が、自民党に所属する政治エリートの無意識を支配したということだ。国民の視点から解釈すると、システムが維持されれば安定が続き、破壊されれば混乱になる。コロナ禍に直面した国民は、混乱を避けたいと考えている。この国民心理を自民党の地方党員も共有していたのだと思う。菅政権が成立して、公明党の政策に与える影響力が強くなる、新自由主義的な改革傾向が若干強まる、日本学術会議の人事問題でアカデミズムの一部との軋轢《あつれき》が生じるなどの変化はあったが、「首相機関」の基本構造に変化はない。コロナ禍で「安定か混乱か」という二項選択を政権が国民に迫れば、大多数の国民が安定を選択するであろう。

本書は2020年5月30、31日にリモートで行われた新潮講座での講義を基にしている。緊急出版などといった形ですぐに活字化しなかったのは、あまりにノイズの多い情報や言説が流布されていたので、それらとは一線を画したかったためだ。日米両国でトップが交代し、コロナ禍が第三波を迎え、再び緊急事態宣言が発出された今、ようやく活字にする時期が来たように思う。ただし、講座で述べたことを新しい事態に合わせて改める必要は全く感じなかった。そして、コロナウイルスによって私たちが「新世紀」（意味の上での21世紀）に突入することは、読者のみなさんにも、もはや自明であろう。

本書をていねいに読んでいただければカイロスとなる「時の徴《しるし》」を的確につかむことができるようになる。現在と未来を正しく予測するために20世紀の歴史を振り返る必要があるのだ。

Ⅰ　コロナ禍と「短い二〇世紀」

コロナ以後の「知の共同体」に向けて

今回の新潮講座はコロナ禍のために、いろんな大学で行われている授業同様、リモートで行うことになりました。ただし、いつもの講座と同じように双方向性は保ちつつ進めていきたいと思います。質問があれば、講義中でも構いませんのでチャットで質問を投げかけてください。こちらからも参加者のお名前をあげて、例えば「カサハラさん、これについてどう思う？」みたいに聞くこともします。遠慮なくスピーカーをオンにして、「こう思う」とか「わかりません」「パスします」とか答えてください。

そもそも今回の講座は関西セミナーハウスというキリスト教関係の施設を借りて、二泊三日の予定で開くつもりでした。そこは出町柳《でまちやなぎ》駅から叡山《えいざん》電鉄に乗って修学院《しゅうがくいん》という駅まで行き、駅から山の方へ一五分くらい歩いてやっと辿り着くんです。気をつけて歩かないと猿も出ます。そんな寂しいと言えば寂しい場所で週末のあいだ閉じこもって、集中的にみんなでテキストを読むのもいいものです。京都だから、東京や北海道からも四国、九州からも真ん中にあって集まりやすいですしね。今回はそんな全国的な移動を自粛してリモートで講座をやってみるのですが、これは日本全国の人ともっと簡単に繋がることができるので、この形式でまた新たな知の共同体が生まれるかもしれません。

私は今、同志社大学の大学院と神学部、そして学部横断的なサイエンスコミュニケーター副専攻でリモートの授業をやっているんです。私の教えている大学院生たちはかなり耐性があるんですよ。いつもは土曜日に五時間の授業をやって、その後、一緒に食事をしながらさらに五時間ぐらい話して、一〇時間ほど集中的に勉強しています。授業の前には一五〇時間ぐらいかけないとこなせないぐらいの課題も出している。つまり、結構な耐性のある学生たちですが、リモート授業では三時間で音を上げました。やはり疲れが全然違うんですね。ですから、みなさんが疲れて来たら、それも率直に伝えてください。そうやって、手探りで新しい共同体を作っていきましょう。

予定としては、まず一時間半の講義をやった後、一時間半の休憩を取ります。これはみなさんの疲労を慮《おもんぱか》ったわけではなくて、休憩という名前ですが、大部分は演習用の時間になります（笑）。コマごとに二、三題の質問を出すつもりです。答案は休憩時間が終わる二〇分前までにメールで新潮講座事務局へ送ってもらえれば、次の講義までに私がすべてに目を通して、そこからの進め方を按配していきます。答案には私がメモを入れて、メールでお戻しします。

ハラリの見た緊急事態

では、早速質問します。まず、カサハラさん、今回の新型コロナウイルス騒動はわれわれに大きな影響を与えると思いますか？

カサハラさん　大きな影響を与えると思います。理由は、人は他者を求める動物であるにもかかわらず、それが困難になっているからです。

これは大学で訊いても、「大きな影響を与える」と答える学生の方が非常に多いんです。実際、「影響が大きい」ことは、ほとんど全ての専門家の共通した意見だと思います。ただし、その影響の程度については、二つの考えに分かれる。

ものすごく大きな影響があるという考え方をしているのが、例えば『サピエンス全史』『ホモ・デウス』（共に河出書房新社）などで知られるイスラエルの歴史学者、ユヴァル・ノア・ハラリです。ハラリさんは三月三〇日、「日本経済新聞」の電子版に寄稿しています。

「私たちは、速やかに断固たる行動を取らなくてはならない。選択を下す際には、目の前の脅威をどう乗り越えるかだけでなく、この嵐が去れば、どんな世界に住むことになるかも自問すべきだ。新型コロナの嵐はやがて去り、人類は存続し、私たちの大部分はなお生きているだろう。だが、私たちはこれまでとは違う世界に暮らすことになる。

今回取った多くの短期的な緊急措置は、嵐が去った後も消えることはないだろう。緊急事態とはそういうものだ。緊急時には、歴史的な決断でもあっという間に決まる。平時には何年もかけて検討するような決断が、ほんの数時間で下される。何もしないリスクのほうが高いため、未熟で危険さえ伴う技術の利用を迫られる。多くの国で、国全体が大規模な社会実験のモルモットになるということだ。

全ての人が在宅で勤務し、互いに離れた距離からしかコミュニケーションを取らないようになるとどうなるのか。学校や大学が全てオンライン化したらどうなるのか。いかなる政府も企業も教育委員会も、平時にこうした実験には決して同意しないだろう。だが、今は平時ではない。」

ハラリが言っていることは、ちょうど今われわれがこの講座をリモートでやっていることにも当てはまりますよね。平時だったら予定通り、京都で別のテーマの講座をやっていたでしょう。われわれは今——受講生のみなさんも、新潮社という企業も、あるいは佐藤優という作家も——社会実験のモルモットになってるわけです。

さらに、ハラリはこう指摘しています。

「今回の危機で、私たちは特に重要な2つの選択に直面している。1つは、全体主義的な監視と、市民の権限強化のどちらを選ぶのか。もう1つは、国家主義的な孤立と、世界の結束のいずれを選ぶのかだ。

新型コロナウイルス感染拡大を食い止めるには、全ての人が一定の指針に従わなければならない。これを成し遂げるには、主に2つの方法がある。1つは、政府が市民を監視し、ルールを破った人を罰する方法だ。今、人類史上で初めてテクノロジーを使えば、全ての人を常に監視することが可能になった。50年前だったら、ソ連の国家保安委員会（ＫＧＢ）であっても、２億４０００万人に上るソ連の全市民を、24時間追跡することはできなかったし、そうして収集した全ての情報を効果的に処理することも望むべくもなかった。ＫＧＢは人間の工作員や分析官を多く駆使したが、それでも全ての市民に１人ずつ監視役を張りつけ追跡するのはどうしても無理だった。

だが、今では、各国政府は生身のスパイに頼らずとも、至る所に設置したセンサーと強力なアルゴリズムを活用できる。実際、幾つかの国の政府は、新型コロナ感染拡大を阻止するため、既にこうした新たな監視ツールを活用している。最も顕著なのが中国だ。中国当局は市民のスマホを細かく監視し、顔認証機能を持つ監視カメラを何億台も配置して情報を収集し、市民には体温や健康チェックとその都度その報告を義務付けることで、新型コロナの感染が疑われる人物を速やかに特定している。それだけではない。その人の行動を追跡し、その人物と接触した者を特定している。感染者に近づくと、警告を発するアプリも相次いで登場している。

こうした技術を活用しているのは東アジアだけではない。イスラエルのネタニヤフ首相は、最近、イスラエル公安庁に対し、新型コロナの患者を追跡するために、通常はテロリスト対策にしか使わない監視技術の利用を認めた。議会の関連小委員会は許可を拒んだが、ネタニヤフ氏は「緊急命令」を出してこれを押し切った。」

新型コロナの蔓延《まんえん》を防ぐために、国家による監視が強まり、全体主義的になってくる――。つまり、今までの民主制度が崩れかねない、という危惧をハラリは表明している。社会は大きく変わっていく、という考え方に立っているわけですね。

日本でもハラリの考え方は非常に強い影響を与えて、有識者のほとんどがハラリ・モデルに近づいています。ただ私は、ちょっと危ないと思っている。ハラリの文章をよく読んでみれば分かるんですが、彼は今回の状態を大きな危機だとは思っているけれど、「クライシスとしての危機」と捉えてはいないのですね。こう言うと、「え、危機ってクライシスじゃないの？」と思われるかもしれない。日本語で「危機管理」と言った場合、どうしても曖昧になるのですが、英語で言うと、危機にはリスクとクライシスがある。この二つは全然別の概念なわけです。それが日本語だと両方「危機」と訳されてしまうんだね。

リスクマネジメントなどという場合のリスクは、「予見される危険」であるとか、「悪い出来事」という意味合いなんです。ですから、「想定外の事態」などには、いわゆるリスクマネジメントでは対応できない。ハラリの言っているのはリスクですよ。

これに対して、クライシスというのは、元々ギリシア語のクリシスから来ていて、分かれ道とか峠といった意味なんです。病気で「今晩が峠です」と医者に言われた場合、峠を越えることができなければ亡くなるわけですよ。つまり、医師もはっきり予測できない時に、この言葉が出てくる。クライシスは予測することが難しくて、かつ生きるか死ぬかの問題を指すんです。

では、今回の新型コロナで起きている事態はどうかと言えば――。

季節性インフルエンザは二〇一八年に、日本国内で三三二五人の死者を出しています。これはインフルエンザ単体の数字で、合併症を含めたら一万人を超えているでしょう。新型コロナウイルスでは主として合併症で亡くなっていて、その数は九〇〇人ほどですよね（この講座が開かれた二〇二〇年五月末で新型コロナウイルスによる死者数は八八六名、二〇二一年一月六日で累計三八二〇名）。数字から見るだけだと、極めて大変な状態とは言えない。

では、新型コロナウイルスはリスクの閾値《いきち》内かと言うと、リスクの枠を超えていることも確かなんです。しかし、クライシスには至っていない。だから、クライシスマネジメントを取ったらいけないのです。クライシスマネジメントは、「生き残るためには何をやってもいい」となるのだけれども、そこまでの事態ではない。ただ、「リスクマネジメント以上、クライシスマネジメント以下」という対応のマニュアルはないから、非常に難しい按配になっている。

自由・平等・友愛から始まった

一方、まだ日本ではそんなに大きな影響を与えていないけれども、「今回の新型コロナウイルスによる危機は大したことがない」という考え方をしているのがフランスの人口学者、エマニュエル・トッドです。

トッドは若い頃の研究で、人口動態の分析からソ連の崩壊を予測したことでも知られています。それ以外にも、家族様式と民主主義は非常に関係があるという有力な仮説を提示してもいるんです。

フランス革命の理念は三つありますが、クサカベさん、チャットで答えてください。フランスの三色旗は何を意味していますか？

クサカベさん　自由と平等と博愛？

そう、自由・平等・博愛ですが、自由・平等・友愛という訳し方の方がいいと思う。自由というのは、「誰でも勝手なことをやっていい」ってことです。ただし、例外はある。唯一、制約条件となるのは他者への危害ですよ。酒井法子さんが覚醒剤をやって捕まった後に出した『贖罪《しょくざい》』（朝日新聞出版）という反省本を読んだことがありますが、ひと言で内容を纏《まと》められます。あれは「悪かった、悪かった、運が悪かった」と言っているだけの本（笑）。「世の中で「やったらいけない」とされていることをやっただけよ、自分の体がボロボロになるだけなんだから、覚醒剤をやっても構わないじゃないの、逮捕される／されないは運の問題よね、ああ、私は運が悪かった」みたいな発想が彼女の底流にあるんですね。でも、これは彼女が近代的な自由概念をよく分かっていないから、そんな発想になるわけです。

なぜ覚醒剤をやったらいけないかというと、覚醒剤の摂取によって幻覚や妄想が出てきて、他者に危害を与える蓋然《がいぜん》性が明らかにあるからです。自分の身がボロボロになることは、自殺が法律で禁止されていないのと同じで、自己決定権の範囲に入ります。だけど、他者危害は認められないから、覚醒剤は禁止される。そういう構成になっているわけ。裏返して言えば、他者に危害を与えない限りは何をやっても構わない。それが「自由」ということです。

一方、「平等」というのは、能力や収入の差にかかわらず、全ての人が究極的には同じ状態になることです。その実現のために、国家でも社会でもいいけれど、何かが間に入って再分配をしていくシステムを働かせる。

ここまで言えば、自由は資本主義と相性が良くて、平等は民主主義と相性がいいのが分かりますよね。つまり、自由と民主主義は違うベクトルを向いているんです。この二つをどこかで調和させないといけない。その調和させる原理が三番目の「友愛」なんです。友愛によって、お互いバランスを取っていきましょう、と。

完全な平等を掲げて共産主義みたいなところを目指すのではなく、ある程度の能力と努力による格差は認める。その代わり、その格差が極端な形まで行かないようにしよう。「だって、われわれはみんな仲間なのだから。われわれは同じ国民なのだから」という友愛意識で結び付いていこう。それが自由・平等・友愛というフランス革命の理念でした。

市民は欲望する

ここで、近代的な民主主義が代議制を採っている意味を再確認しておきましょう。代議制とは、われわれの代表を選挙で選んで議会へ送りこむ、というシステムですね。

では、議会へ代表を送った後、プロの政治家ではない、われわれ市民は何をすればいいんですか？　ツシマさん、どう思う？

ツシマさん　納税をして国家を支える。

そう、納税は非常に重要ですよね。もうひとつ、重要なことがある。それはヘーゲルやマルクスが指摘しているように、「欲望を追求する」ことなんです。この「欲望」というのは、経済的な欲望や文化的な欲望、あるいはさまざまな自己実現なども含まれます。市民は自らの欲望を追求する一方で、政治のことはプロに任せておく。それが代議制民主主義を謳《うた》う市民社会の原理です。

だから、よく「みんな政治にもっと関心を持ちましょう。国民の政治意識を啓発することが重要です」などと言うけれども、それは元来、市民社会の原理に反しているわけですよ。繰り返しますが、有権者である市民は自らの代理人となる政治家を議会へ送り出した後は、この人たちに政治は任せる。そして政治家たちには、外交においては外敵から侵略されないようにしたり、国内においては泥棒や強盗が横行して治安が不安定にならないようにしたり、あるいは経済的な争いがあった場合は裁判で調整できるような仕組みを整えたりすることに頑張ってもらう。市民は経済活動をはじめ自分たちの欲望を充たすために頑張ればよくて、あとは納税をすることで政治家と官僚群を支えていく。こういう循環モデルになっているのです。

すると、経済状態がいい時には国民の政治意識は高揚しないんです。経済状態が悪くなると、国民は「政治の力によって経済を何とかしろよ」と思い始め、政治意識に目覚めるわけ。ただ、政治活動と経済活動というのはトレードオフの関係にあるでしょう？　だって、毎日三〇万人とか四〇万人規模のデモが起きて、国民のほとんどが政治に関心を持つようになったら、そのぶん生産活動は確実に衰えますよね。そうすると、ますます経済が悪くなってくる。そんな悪化のスパイラルに入っていく。

ヨーロッパで政治意識が非常に高い国と言えば、例えばギリシアですよ。私はギリシアへ行ったことがありますが、喫茶店に入っても、みんなでワイワイ政治の話をしていました。これは中南米諸国も同じで、国民がものすごく政治に関心がある。フィリピンもそうです。そういう国は、いずれも経済的にはそれほどうまくいっていない。そして経済が比較的安定している国の国民は、政治に対して無関心でいる。

では、日本の場合はどうでしょう？　安倍一強政治が続いた背景は、やはり経済が良くなっていたという事実です。もちろん、格差は拡大しています。経済成長が高まったと言っても、分配率にはそれほど影響を与えていませんからね。そう考えると、必ずしも国民の多くが裨益《ひえき》しているわけではないけれども、例えば株を保有しているような六〇代以上の人たちはいまの経済状態、ひいては政治に満足している。それから、若年層も満足度が高い。なぜかと言えば、必ずしも勤労条件がいいわけではないけれど、雇用が確保されているからですよ。

それが二〇二〇年の春頃から、新型コロナウイルスへの対応がうまく行かなかったり、また検察庁法改正の問題や、それに付随して東京高等検察庁の黒川弘務さんの人事や賭け麻雀の話が出たりで、次第に政権批判が強まり、五月下旬には「朝日新聞」の世論調査では内閣支持率が二九％、「毎日新聞」で二七％というような状態になった（その後、八月二八日に安倍首相は辞任を表明した）。

私はこの政権批判の強まりと、例えばテレビのリアリティ番組「テラスハウス」をめぐるSNS上の暴言で、出演していた木村花《はな》さんが自殺にまで追い込まれたこと（五月二三日）がリンクして見えるのです。われわれの社会の中に、「新型コロナウイルスによって、今後大きな経済危機が来るんじゃないか」という不安がものすごくあるんだと思う。その不安に煽られるようにして、何とも知れない不満や怒りが澎湃《ほうはい》と湧いてきている。怒りをぶつける先が検察庁法改正案であったり、不幸にも「テラスハウス」の木村花さんであったりしたんじゃないか。

あるいは自粛期間中に、有名人が遠出したり店で向かい合って食事していた写真をインスタグラムにあげたり、Twitterでつぶやいたりするだけでも、「自粛警察」が集まってバッシングが始まったりもしました。何かもう、マッチを擦っただけで爆発してしまうようなストレスフルな心理状態にみんながなっているように見えます。しかも、これは当面のあいだ続いて、いろんなところで爆発していくと思う。

こういう時代の節目にある社会の底に流れている心理状態を分析するためには、やっぱり歴史に学ばないといけない。例えば一九三〇年代に、なぜナチズムみたいなものが台頭してきたのか？　あるいは日本で、政党政治がきちんと行われていたのに、なぜ大政翼賛会ができていったのか？　今の状況を理解するために、歴史から「時代の機運」を学ぶことは大事です。ことに一九三〇年代との類似はたいへん重要なポイントだと思う。そのあたりについては、私も『ファシズムの正体』（インターナショナル新書）、『高畠素之《もとゆき》の亡霊　ある国家社会主義者の危険な思想』『この不寛容の時代に　ヒトラー『わが闘争』を読む』（共に新潮社）などといった本を出しているので覗いてみてください。

これからの経済は

ここで新型コロナウイルス後の経済がどうなるか、少し見通しを述べておきましょう。いろんな人の言説を読んだ中で、ＪＡＬやカネボウの企業再建で大きい実績を上げた冨山《とやま》和彦さんの本が面白いと思ったんです。例えば『コロナショック・サバイバル　日本経済復興計画』（文藝春秋）。二〇二〇年四月七日に発出された緊急事態宣言は五月二五日に解除されましたが、経済における危機的状況は今後も続くでしょう。緊急事態宣言下では感染拡大を抑えて医療崩壊を避けることが最大の目標でしたが、今後は経済対策が主要な課題になってくる。冨山さんは、経済危機は三つの段階に分かれると考えています。その三段階目を阻止することが死活的に重要だと主張しているんですね。

まず、第一段階は地域経済の危機。冨山さんはこう言っています。

「出入国制限はもちろん、外出制限までもがほとんどの国や地域でかかるなか、まず打撃を受けているのは、観光、宿泊、飲食、エンターテイメント、（日配品、生活必需品以外の）小売、住宅関連などのローカルなサービス産業である。（中略）こうしたL型産業群は今やわが国のGDPの約7割を占める基幹産業群である。しかもその多くが中堅、中小企業によって担われており、非正規社員やフリーターの多い産業でもある。今や日本の勤労者の約8割は中小企業の従業員または非正規雇用（裏返して言うといわゆる大企業、大組織の正社員は全体の2割くらいしかいない）が占めており、ローカルなサービス産業の危機は非常に多くの、しかも弱い企業や労働者とその家族を厳しい状況に追い込むメガクライシスなのである。」

このメガクライシスが来ているから、国民全員に一〇万円を給付するし、企業に対しても融資だけではなく、給付も行うわけです。これは資本主義の原則に反しているけれども、この第一段階のクライシスを緩和するためですね。

そして、ローカルな危機に続いて、第二段階の地球規模の危機が到来する、と冨山さんは説いています。例えば、自動車や電機などグローバル展開をする大企業のサプライチェーンが崩れていくでしょう。それから、住宅などでも、世界的な規模で買い控えが起きる。みなさんだって、例えば新しい服を買うところを「じゃあ、もうメルカリで買うか」みたいになってくる。あるいは「車をそろそろ買い換えたいな」と思っていても、ちょっと待つかって感じになる。マンションを買おうと思っていても、「ボーナスはがた減りだし、いつコロナのカタがつくか分からないし、今はやめとこうか」となるでしょう？

その結果、下請けの中小企業のみならず、グローバルな大企業も大きな打撃を受けていく。この第一段階、第二段階までは、冨山さんは不可避と見ているようです。これは防ぎようがない。

その後で第三段階の金融危機が起きる、と彼は分析しています。そして、金融危機が起きると、「経済システムの血液であるマネーを循環させる「心臓」までもがひどく傷んでしまい、これがさらに実体経済を痛めつける負の連鎖に入ってしまう」。これはリーマンショックと逆ですね。リーマンショックも金融危機でしたが、ローカルな経済部分に与える影響は限定的だったから、まだ経済は持った。ところが今回は違う、順番が逆なんだと。だから、この金融危機を起こさないために全力を尽くさないといけないと冨山さんは言うのです。

では、具体的には何をやったらいいか？　冨山さんはこういうふうに言っています。

「国でも企業でも、こういう時は本気で守るべきものを明確にして優先順位をつけるべきである。今回の危機の大きさと特性を考えた時、私は守るべきものは二つ、「財産もなく収入もない人々の生活と人生」と「システムとしての経済」である。

緊急に作った緊急の対策としては、とにかく収入を失う低所得層に生活費を給付することは間違っていないし、中小サービス業が担っているローカル経済システムを守るために緊急融資だけでなく、給付金に踏み込んだのもこの際、正しいと思う。このセクターで無秩序に倒産、廃業、失業が起きた時に日本経済が中長期的に受けるダメージは、かなり大きいからだ。あとは実行段階で日本的な生真面目さ精密さを捨て、多少の不正が起きることには目をつむってスピード最優先のオペレーションを行うことができれば、それなりの効果はあるはずだ。」

もちろん、この先にリストラなどは必要だと付け加えているのですが、今はそういった時期ではないと言っています。

つまり冨山さんの見るところ、経済面においては、今起きていることはリスクではなくてクライシスです。特に血流にあたる金融までひどいことになると、本当に経済が死んでしまうかもしれない、という強い危機感がある。彼が言うように、財産もなく収入もない人々の生活と人生を守るために、拙速でもやむを得ないから、できるだけの措置を取ることは極めて重要だと私も思います。

トッドの見た緊急事態

ここで、冨山さんと違って「今回の危機は大したことはないんだ」とするエマニュエル・トッドに話を戻しましょう。

トッドは「民主主義は家族の構成と家族の文化に関係している」と主張しています。とりわけ「遺産相続」と関係していると言うんです。ドイツは長子相続で、原則として長男が相続します。昔の日本も同じで、家督は長男が相続しましたね。こういった国では、きょうだいが不平等なんだから、人類だって不平等なものだという発想が根本にある。言い方を変えれば、平等が生まれにくい国だ、というわけです。

それに対して、男も女も関係なく、財産をきょうだい全員で平等に分割する文化の地域がある。これが、フランスのパリ盆地と地中海沿岸なんです。すなわち「平等」とは、実は普遍的な概念ではなくて、フランスのパリ盆地と地中海沿岸における家族文化の様式にすぎず、フランス革命がパリ盆地から生まれたから、平等という概念が重要視されるようになったんだと。

ちなみにイギリスの場合は、長子相続でもなければ平等相続でもなく、遺言による相続なんです。つまり、親が相続の比率を変えられるのです。だから長男が総取りするわけでもないけれど、きょうだいが必ずしも平等ではないという考え方になる。

そして、アメリカ型の自由民主主義の特徴は、移民たちの間では自由で平等だけども、その概念は先住民や奴隷には適用されない、ということです。言い換えれば、「「外部」を持っている自由・平等・友愛」という自由民主主義なんですね。

現在だってそうですよ。例えば日本人がアメリカに留学したら、アメリカ人とは学費が違います。それに、大学生に対しての給付型奨学金とか、さまざまな優遇措置が取られているけれども、外国人留学生は除外されます。そんなふうに内側と外側を分けていくのは、アメリカにおいて歴史的に埋め込まれている制度なわけです。当初はカトリック教徒も外側として排除されていたし、先住民も排除されて黒人も排除されてきたのが、今は包摂されるようになりました。でも、ご存じのように、黒人だって完全に包摂されてるわけではないし、ヒスパニック系の人たちも完全にフルメンバーとして認められてるわけではありません。

日本人を含む黄色人種に対しても、これは今回の新型コロナウイルスが蔓延するにあたって、トランプ大統領（当時）が「中国ウイルスだ」、あるいはポンペオ国務長官（当時）が「武漢ウイルスだ」とか言っていることからも分かるように、要するに「中国からの貰い事故だ」くらいの意識で、その結果、「黄色人種が災いをもたらす」という一九世紀末から二〇世紀初頭に流行った黄禍《こうか》論がまた頭をもたげてきています。

日本は一九三〇年代的「翼賛の思想」でコロナに対処した

では、トッドが現在の状況をどういうふうに考えているか？　彼は「新型コロナウイルスによる感染症で死亡するのは高齢者が多いので、人口構造に与える影響は少ない」と言っています。だから、中長期的な社会構造の変化には至らない、つまりは大したことはないんだよ、という認識なんですね。

これは「朝日新聞デジタル」の五月二〇日のインタビューですが、「新型コロナウイルスの感染拡大は、あなたの国のマクロン大統領をはじめ多くの政治指導者が「戦争」という比喩を使うほどのインパクトを与えています」と言う記者に対して、トッドはこう答えています。

「そのような表現はばかげています。この感染症の問題は、あらゆる意味で戦争とは違うからです。ただ、支配層の一部がその表現を使うことに理由がないわけではない。彼らは自らの政策が招いた致命的な失敗を覆い隠したいわけです」

「フランスで起きたことのかなりの部分は、この30年にわたる政策の帰結です。人々の生活を支えるための医療システムに割く人的・経済的な資源を削り、いかに新自由主義的な経済へ対応させていくかに力を注いできた。その結果、人工呼吸器やマスクの備蓄が足りなくなった。感染者の多くを占める高齢者の介護施設も切り詰めてきた。フランスは発展途上国の水準になりつつある。新型コロナウイルスは、その現実を突きつけたのです。2万5千人以上の死者を出した今、マクロン氏の政治的レトリックを真に受ける人はいないでしょう」

結構、説得力ある視点ですよね。日本が欧米と比べて死者数が少ない理由のひとつは、健康保険制度もあり、新自由主義化がそれほど進んでいなかったおかげだと私は見ています。

続けて記者が「ここまでの感染拡大のスピードと規模を予想するのは難しかったんじゃないでしょうか」と訊いたのに対するトッドの答え。

「確かに被害は甚大でも、「突然に引き起こされた驚くべきこと」ではない。SARS（重症急性呼吸器症候群）やエボラ出血熱など近い過去に感染症はあり、警鐘を鳴らす専門家はいました。多くの国が直面している医療崩壊は、こうした警告を無視し、「切り詰め」を優先させた結果です。時間をかけて医療システムが損なわれたことを今回のウイルスが露呈させたと考えるべきでしょう」

「その意味ではマクロン氏だけを責めているわけではありません。サルコジ、オランドという歴代の大統領や、彼らを選んできた私たち世代に大きな責任がある。国による違いも気になります。米国や英国は感染の規模が大きく、死者も多い。イタリアもそうですね。一方、10万人あたりの死者数で比較すると、日本や韓国、台湾はうまくやっているように私には見えます。個人主義的でリベラルな文化の国と、権威主義の歴史がある国とでは、人々の振るまいに違いが生まれるからかもしれない。ドイツは感染が広がったものの、比較的うまく対応しました。ドイツは（リベラルな国の中で）規律を重視する社会です」

これはすごく重要な指摘だと思う。諸外国ではロックダウンをして都市封鎖をしました。そのための法律を定めて、罰則もある。もちろん法律で罰則を決める一方で、強制閉鎖させたお店に対しては補償金が出る。

日本の場合は緊急事態宣言が出されても、あくまで「自粛の要請」にとどまるわけです。なぜ強制でなく、要請止まりにしたのか、理由は二つあると思う。

ひとつは、日本には一億二千数百万人もいるのだから、こういう法律を作った場合、必ず「憲法違反だ」と違憲訴訟を起こす人が出てくる。憲法第二十二条で保障されている「移転の自由」には「移動」も含まれますからね。もっとも、そこには「公共の福祉に反しない限り」という条件が付いていますから、おそらく裁判になったら政府が勝つんですよ。でも、裁判の過程で膨大なエネルギーがかかることは間違いない。このコロナ対策で忙しい時に、そんな訴訟に時間や労力を割きたくないというのが官僚たちの率直な発想だと思う。

二番目の理由は、かなりの政治コストを使って、強制力がある法律を作ったとしても、時間がかかってしまって、その間に失われるものが多い。むしろ、「わざわざそんな法律を作らなくても、国民の同調圧力を刺激すれば所期の目的は達成できる」という読みがあったと思う。

この時もわれわれは、一九三〇年代を思い出さないといけない。日本では戦時下の総力戦体制のために国家総動員法を作ったのですが、この法律においても強制の要素は少ないんですね。あの当時の為政者も、基本的には「翼賛の思想」で処理しようとしたのです。

翼賛というのは、現代で言えばボランティアのことですよ。本来は、天子（皇帝や天皇）

の行動を自発的に応援することを翼賛と言いました。あくまで「強制がない」ことが建前だったんです。そこから隣組ができたり、女性たちが国防婦人会を結成して、千人針を作ったりとか防空訓練をしたりという形で、国策に協調、協力しようとしました。戦後、むしろ革新陣営で活躍した市川房枝さんなども戦中の国防婦人会に関係してきた人だよね。その意味では、日本の女性運動における国防婦人会の原型的意義は無視できないものがある。

そんな歴史のある日本では、無理に法律を作らなくても、政府が自粛を訴えることで社会の同調圧力が生まれ、都市封鎖に近いことが実現できると踏んだわけです。いわゆる自粛警察みたいなのが出てきて、社会的な圧力によって事実上の強制を行っていくことが可能だと、政治家や官僚たちは読み切ったのだと思う。現にそうなりましたよね。これがトッドの言う「権威主義の歴史がある国とでは、人々の振るまいに違いが生まれてくる」ってことですよ。

コロナの前の不平等

もう少し、トッドの分析を見てみましょうか。

「戦争という言葉との兼ね合いで言えば、フランスでは2015年に新聞社「シャルリー・エブド」が過激派に襲撃され、その後もパリなどでテロが相次ぎました。あのときも「戦争」という言葉が繰り返し使われました」と言う記者に応じて、トッドはこう答えています。ここがトッドの真骨頂です。

「私は人口学者ですから、まず数字で考えます。戦争やテロと今回の感染症を比較してみましょう。テロは、死者の数自体が問題ではありません。社会の根底的な価値を揺さぶることで衝撃を与えます。一方戦争は、死者数の多さ以上に、多くの若者が犠牲になることで社会の人口構成を変える。中長期的に大きな社会変動を引き起こします。今回のコロナはどちらでもありません」

さらに記者が、「ただ、死者数は世界で30万人に迫る勢いです。かつてのスペイン風邪やペストと比較されうるものではないでしょうか。あなたの国の作家カミュが書いた『ペスト』は世界的に読まれています」と言うのに対して、

「そこまで深刻にとらえるべきではないと考えています。これもフランスの事例ですが、かつてＨＩＶの感染が広がったとき、20年間で約４万人がなくなりました。しかも若い人の割合が大きかった。今回のコロナの犠牲者は高齢者に集中しています。社会構造を決定づける人口動態に新しい変化をもたらすものではありません。何か新しいことが起きたのではなく、すでに起きていた変化がより劇的に表れていると考えるべきでしょう」

今回のコロナでは、テロのような政治的な衝撃も与えませんよね。つまりテロは、その背後に政治目的があって、社会を揺さぶることに主眼がある。それに対してコロナウイルス禍自体には政治目的がない。それから人口動態で言うと、戦争は若者が死ぬ。あるいは病気でも、エイズの場合は若者の死亡者率が高かった。そうなると社会構造に影響を与えるけれど

も、コロナで高齢者が亡くなることは社会構造に影響を与えないんだ。
だから、今回のコロナ蔓延が引き起こすのは決して新しい変化じゃない、とトッドは断言しています。既に起きていた変化を加速しただけと見ているわけですね。

「私自身を例にすれば、いま、フランス北西部ブルターニュの別宅にいます。感染が広がる前にこちらに移りました。庭があり、パリよりも人が少ない。言うまでもなく特権的です。庭付き別宅を持つ階層と、庭なしの自宅に住む階層との間ではリスクが違います」
「私たちは、医療システムをはじめとした社会保障や公衆衛生を自らの選択によって脆弱《ぜいじゃく》にしてきた結果、感染者を隔離し、人々を自宅に封じ込めるしか方策がなくなってしまった。その先でこのように貧富の格差による感染リスクの差が生まれているわけです」

このへんがトッドの鋭いところです。私的な体験を巨視的に社会の動きと結びつけています。

感染症は民族や国家に関係なく、あるいは階級や貧富の差に関わりなく襲いかかってくる。だからコロナの前では全ての人は平等だ——そんなことを書いたり、発言したりする人がいますが、それはまったくの間違いです。ここでトッドが言うように、「三密」を避けられる環境をあらかじめ持っている人は比較的富裕層に多い。この人たちの感染リスクは、持っていない人びとに較べたら低いわけですよね。

実際問題、日本でも例えば外務省の大使経験者クラスになると、別荘を持っている人が結構いHeadersます。私はいろんなことで彼らと連絡を取るので知っていますが、日本でコロナが大きく騒がれ始めた二〇二〇年三月くらいから（ダイヤモンド・プリンセス号が横浜港で検疫を受けたのが二月三日）、みんな軽井沢などに持っている別荘へ移っていました。比較的高齢者が重症になりやすいということもあって、この人たちはそのまま東京に帰ってこなかった。そういう生活スタイルだと感染リスクは低いよね。フランスと比べて見えにくいだけで、日本でも同じ現象は起きている。

優生思想へ繋がりかねない

さて、記者が今度は「今回はグローバルなレベルで人、モノ、カネの流れが止まっているのが特徴です」と訊くと、トッドはこう答えるんです。

「人々の移動を止めざるを得なくなったことで、世界経済はまひした。このことは新自由主義的なグローバル化への反発も高めるでしょう。ただこうした反発でさえも、私たちは「すでに知っていた」のです。２０１６年の米大統領選でトランプ氏が勝ち、英国は欧州連合（ＥＵ）からの離脱を国民投票で選びました。新型コロナウイルスのパンデミックは歴史の流れを変えるのではない。すでに起きていたことを加速させ、その亀裂を露見させると考えるべきです。あなたの挙げた歴史的な疫病との比較をナンセンスと思うのはそのためです」

興味深いことに、新型コロナウイルスの影響の大きさについては意見の分かれるトッド・

モデルとハラリ・モデルですが、今後起きることの予測においては共通点が二つあります。まず、「国家機能の強化」。国家機能の強化＝行政機能が拡大し、行政権が立法権や司法権に対して優位になっていく、というのです。これはファシズムの特徴です。常に国家・民族は危機的状態にあり、非常事態なんだからと、行政権優位で平時にはない物事の進め方をするのがファシズムの始まりなんです。

ハラリ、トッドに共通する予測の二点目は「格差の拡大」です。国内的にも国際的にも格差は広がると見ています。さらに国内における地域ごとの格差、地域内の格差、そういう形で重層的な格差の拡大が生じてくることに関しては、トッドもハラリも全く共通しているんです。

ヨシダさん　質問、よろしいでしょうか？　インフルエンザよりも死亡者数が少ないコロナウイルスが、ロックダウンや緊急事態宣言など社会的影響が大きい政策を引き起こしたのはなぜでしょうか？

「命の値段」がすごく高くなってるからだと私は思います。もし、こういうウイルスの蔓延が第二次世界大戦の大量殺戮《さつりく》、大量破壊の直後に生じていたのなら、各国はこういった対応はしなかったでしょう。なぜならば、死というものが日常化していたから。

命の値段は、時代や状況、国や地方によって変動するものなんです。その意味において、死者の数は少なく収まりそうでも、「生命をまず尊重しないといけない」という価値観をべースにしている国においては、まだワクチンがなく、対症療法しかない新型コロナウイルスはプリズムに掛かったように、すごく大きく見えるのです。

ある人たちは、「感染症で死ぬ人もいるだろうけど、経済が麻痺すれば、それ以上の数の自殺者が出るのだから、ウイルスを怖がらずに経済活動を活発化すべきだ」と主張していますよね。

これに関しては、私も参加した同志社大学のシンポジウムで、東大名誉教授で同志社の特別客員教授である石浦章一先生（分子生物学）に教わったことがあります。「ネイチャー」誌の論文によると、ロックダウンが起きた時には、生活習慣病での死者が圧倒的に減る。これは自殺者の数よりもはるかに多く減るのだそうです。外で飲食しなくなる、喫煙の比率が減る等の影響によると見られているのですが、少なくとも先進国においては、そんな数字が実証研究で上がってきています。

つまり、新型コロナウイルスの死者と自殺者という変数だけで比べるならば、確かに人間の命を守るためには、「多少の感染リスクを負って、死者が少し増えても、経済活動をやった方がいいんだ」となるけれども、生活習慣病での死者という変数を入れると、また話が変わってくるわけです。

ただ、この手の議論が怖いのは、ここから「生産性」というワードが入ってきかねないことだよね。実は私、「トッドのこの考え方をよく朝日は載せたもんだ」と思っていますよ。だって、トッドの思考を突き詰めていくと怖い結論になるんです。要するに、トッドは「犠牲者は高齢者に集中しているから大丈夫だ」と言っているわけですよね。高齢者とはつまり労働生産年齢じゃない人たちです。彼らがたくさん亡くなっても、若者に影響を与えない、あるいは社会に影響を与えない。むしろ、経済的には中長期的にプラスになる。

スウェーデンがコロナ対策をかなり緩やかにしたように、ヨーロッパの中において、既にそんな発想が出てきている感じがします。もちろんトッドは頭がいいから、「生産性の上がらないような人たちがこの世から消えていくことは経済的なプラスになるんですよ」なんて直截《ちょくせつ》的な物言いはしませんよ。しかし論理的な道筋を辿れば、そう言っているわけだよね。

今回のことで、もう一つ思い出したのは、北欧の国々――スウェーデンは第二次世界大戦の中立国ですけども、ノルウェーは同じアーリア人種という位置づけから、ナチスの同盟国でした――のことで、どうも彼らの発想の中には、優生思想的な匂いがします。「弱い者が死んでいくのは、やむを得ないんだ」という考えがどこかにあるように思える。だから、私はスウェーデンのやり方は、部分的に怖い面を含んでいると感じてしまいます。

トッドの論理も含めて、少し形を変えると優生思想になりかねない。こういった考え方が世界で出始めていることは注意して見ておかないといけない。

ホブズボームはこんな人

ここまで、新型コロナウイルスがこれからの歴史にどういう影響を与えるかという議論の前提を整理しました。ここからは歴史家、エリック・ホブズボームの『20世紀の歴史　両極端の時代』（上下巻、ちくま学芸文庫、大井由紀訳）を一緒に読んでいきましょう。

その前にもうひとつ――これは私の講座を聞いたり、本を読んだりして頂いている方には、もう耳にタコができている話だろうから簡単に言いますね。歴史の捉え方は時間の流れと関係します。そして、時間の流れは二種類ある。

一つはクロノス。これはギリシア語で、英語ではクロノロジー、時系列、流れていく時間です。これに対して、その出来事が起きる前と起きた後で意味が変わってくる時間があります。クロノスを数直線のように考えたら、その上から入ってきて切断するような時間。英語でいうとタイミングで、ギリシア語ではカイロスと言います。このカイロスとカイロスを繋いでいって歴史というのはできるわけです。

例えば、みなさんにとってのカイロスって何だったでしょう。誕生日なんてカイロスだよね。もし福島に住んでいる方が講座を受けておられたら、二〇一一年三月一一日は一つのカイロスでしょう。あるいは、パートナーと出会った日かもしれないし、会社に入った日かもしれないし、転職した日かもしれない。そういったことを自分史の中でちょっと考えてみて下さい。歴史のリアリティを考える時には、カイロスが重要になってきます。

今回、なぜホブズボームを読むかというと、彼の本は学術書でありながら、リーダブルなんです。この『20世紀の歴史』もそうです。そして、一人で書いている。一人で歴史書を書くということは、きちんとした一つの歴史観を持っていて、その歴史観に基づいて書いたということですね。

もちろん歴史家のものであろうと、歴史書には書き手の持っている歴史観や価値観が反映された「物語」の要素を持ちます。特に一人で書いた場合は、どのような歴史書にも偏見が潜んでいる。そこで私たち読者にとって重要なのは、純粋客観的な歴史があると考えるのではなくて、書き手がどういう偏見を持っているかを知った上で読むことなんですね。

　ホブズボームの場合はイギリスのマルクス主義者です。単に思想的な意味でのマルクス主義者というだけでなくて、共産党員でもあります。イギリスの共産党員って、すごく少ないんですよ。しかもイギリス共産党は、基本的にソ連共産党べったりのスターリン主義政党なんです。つまり、知的には非常に硬直している政党の党員なんだけれども、ホブズボームの著作を読むと、そんなスターリン主義政党のメンバーとは思えないような柔軟性のある思考をしています。ただ、その根っこにあるのは唯物史観です。

　岩波書店の『世界人名大辞典』という辞典のホブズボームの項目を読んでみましょう。二〇一二年、九五歳まで長生きして亡くなっています。


「ホブズボーム　Hobsbawm, Eric John Ernest　1917年6月9日生まれ。2012年10月1日死去。イギリスの歴史家、知識人。

　ユダヤ系の豊かな家庭の子としてエジプトに生まれ、ウィーン、ベルリンで教育を受け、ロンドンに移住［1933］。ケンブリッジ大学キングズ・カレッジ卒業、フェビアン協会の研究で博士号。第二次大戦で従軍のあと、ロンドン大学バークベック校の講師［47］、教授［70―82］。共産党員としてイギリスおよび英語圏におけるマルクス主義史学の中心にあり、C・ヒルとともに《Past & Present》誌の創刊メンバー［52］。自由で柔軟な観点から労働史、民衆史、社会史、文化史の書き直しに貢献したばかりでなく、ジャズ評論、17世紀危機論、19世紀史、20世紀史において、またナショナリズム、伝統の捏造といった論点で議論を提起し続けた。現代の最も尊敬される歴史家の一人。20世紀をソ連とアメリカという2つの極端が支配した時代と論じた《20世紀の歴史―極端な時代：*The age of extremes：The short 20th century 1914-1991*, 1994》、ロシア革命の年に生まれた20世紀の子として自分を語った自伝《わが20世紀・面白い時代：*Interesting times：A 20th-century life*, 2002》などは、分析的かつリーダブルな歴史叙述として歴史学界以外でも高く評価されている。ロンドンで死去。」

ここには記されていませんが、ホブズボームにおいて非常に重要なのは、「長い一九世紀と短い二〇世紀」という視点です。すなわち、一九世紀は一七八九年のフランス革命によって始まって、一九一四年の第一次世界大戦勃発の直前で終わる。そして二〇世紀は第一次世界大戦の勃発によって始まり、一九九一年のソ連崩壊によって八〇年足らずで終わったという考え方です。それから、第一次世界大戦と第二次世界大戦は別々の戦争と見るべきではない。あれは連続しているもので、二〇世紀の三一年戦争だという見方をしています。

ミネルヴァの梟のように

早速読んでいきましょう。ちくま学芸文庫版の上巻の冒頭、「序文と謝辞」、二五ページから。

「二〇世紀の歴史を他の時代の歴史のように書くことはできない。ある時代の史料や後世の歴史家の研究を通して、間接的に外側からしか知りえない歴史について書く（書かざるをえない）ように、自分が生きている時代を書くことなどできないからだ。筆者の生涯は、本書が扱う時期とほぼ重なっている。そのほとんどの時期、つまり十代前半から現在に至るまで、筆者は公の事柄に関心を抱いてきた。別の言い方をすると、この時代に関して、研究者というより同時代に生きる一人の人間として、考えや先入観を積み重ねてきたということになる。これは、今までのキャリアで歴史家という職業上の肩書きのもと、一九一四年以降の時代に触れるのを避けてきた理由の一つである。とはいえ、別の立場から書くことは避けなかったのだが。この業界の言葉でいうと、「私の時代」は一九世紀である。しかしいまなら、一九一四年からソヴィエト時代終焉までの「短い二〇世紀」について、ある程度歴史的視点から理解できると考えている。そう思うようになったものの、学術的文献に関する知見が筆者にはない。二〇世紀の歴史家は途方もない数に上り、かれらが蓄積してきた資史料の宝庫に至っては、ほんのわずかしか知らない。」

ここでホブズボームが意識しているのはヘーゲルです。ヘーゲルが『法の哲学』の中で、「ミネルヴァの梟《ふくろう》は夕暮れを待って飛び立つ」と言っています。「ミネルヴァの梟」とは知恵のことです。つまり、知恵によってある時代が把握できるのは、その時代が終わる時だという意味ですね。

この『20世紀の歴史』が刊行されたのは一九九四年です。二〇世紀の歴史について書くことができるようになったのは、ソ連の崩壊によって一つの歴史が終わったからだ、今なら二〇世紀という単位を丸ごと把握することができる、と述べているわけですね。

私の同志社大学神学部在学中のことです。神学というのは四つあって、聖書神学と歴史神学と組織神学と実践神学に分かれています。聖書神学は聖書の研究、実践神学は基本的に牧師さんになる人のための学問で、私は歴史神学に進むか、組織神学に進むかですごく悩んだ。私のやっていたテーマは、チェコスロバキアという共産主義国家における国家と教会の関係です。特に一九四八年から六八年まで、つまり共産主義国家の誕生から「プラハの春」までの二〇年間を分析の対象としていました。

最初は歴史神学に進みたいと考えて、藤代泰三先生という歴史神学の先生に相談したんです。そしたら、先生にこう言われた。

「自分は『キリスト教史』（講談社学術文庫）を書いた時、実はちょっと踏み込みすぎたんだ。歴史を書く時は五〇年前の記述まででやめないといけない」

私が「先生、どうしてですか？」と訊くと、「当事者がまだ生きている。あるいは、当事者は亡くなっていても、当事者の直接の教え子とか、直接に影響を受けた政治家とか、そういう人たちがまだたくさん生きているからです」。つまり、当事者もしくは周辺の人たちのさまざまな利害関係が入ってくるから、資料の制約が非常に大きくなると言うんです。そうなると、歴史を記すための完全な実証性や客観性が担保できない、というのが藤代先生の考え方でした。ある程度の実証性や客観性を得るためには新しい問題は扱わないほうがいい。

私が先生に相談をしたのは一九八二年だったと思います。六八年のプラハの春からまだ二〇年もたっていなかった。だから、藤代先生は「歴史として扱うには新し過ぎる」と諭してくれたわけだね。「これは歴史神学で扱うよりは、キリスト教と国家の関係とか、キリスト教徒の軍備とか、そういう枠組みで扱った方がいい」と言われて、私は組織神学に進みました。

同じように、今回の新型コロナウイルスについて歴史的に論じるというのは、実はまだ非常に難しい。利害関係者はたくさんいるから、ユルゲン・ハーバーマスの言う「認識を導く利害関心」が不可避的に出てきちゃうんです。

歴史を描くには

『20世紀の歴史』に戻ります。さきほど読んだ箇所の少し先、二六ページの八行目から。

「このような訳で、本書が依拠する基盤には、奇妙にムラがある。筆者は長年、幅広く多岐にわたる文献を読んできてはいたが、ニュースクール・フォー・ソーシャルリサーチで大学院生に二〇世紀史を講義するのに必要だった文献に加え、社会人類学者が言うところの「参与観察を行う者」、あるいは注意深い旅人として、もしくは私の祖先たちであればキビッツァー（余計な世話を焼く人）とでも呼ぶような立場から、「短い二〇世紀」を多くの国で過ごすなかで蓄積してきた知見・記憶・見解が参考になった。」

ヤマモリさん、ここで「社会人類学者」と出てきましたが、これは文化人類学者とどう違うの？

ヤマモリさん　文化人類学者の場合は未開社会を対象として、社会人類学者は、より発展した社会とか現代社会などを扱うのでしょうか。

これは引っ掛け問題で、この二つは全く同じものなのです。イギリスでは社会人類学と呼ぶんですね。ただ、学風の違いはあって、ヤマモリさんが仰《おっしゃ》るように、いわば現代的なものを扱う傾向がイギリスでは強い。これは一つには、植民地支配の統治が大きな課題だったからです。それに対して、まさに未開社会の研究をする傾向が強いのが文化人類学で、こちらはアメリカの用語なんです。

だから、ここに出てきた「社会人類学」はほぼ文化人類学と読み替えていい。ただし、関心がより社会に向かっている、というくらいの差です。テキストを続けましょう。

「こうした経験が歴史的にどれほど価値があるかということは、歴史上重要な出来事に居合わせたかどうかでは決まらない。また、歴史に名を残した人物や政治家を知っていたか、顔見知りかどうかということでも決まらない。何を隠そう、筆者自身、さまざまな国――主にラテンアメリカ――について調査し、取材する機会があり、大統領や他の政策決定者たちにインタヴューすることもあったが、こうした機会が報われたことはない。なぜなら、こうした人々は公に記録されることを意識して発言することがほとんどだからだ。ところが、自由に話すことができる、あるいはそれを望んでいる人々からは学ぶことが多かった。その場合、重大な事柄に関して責任を負っていないほうが望ましかった。人物や場所についての予備知識が不完全で誤った印象を与えるのはやむをえないが、しかし、筆者には大いに役に立った。それは、三十年の時を経て見た同じ都市の光景――バレンシアやパレルモ――にすぎないかもしれない。それだけで、二〇世紀の第三・四半世紀に社会が大きく変質した速さや規模を痛感させられる。あるいは、だいぶ前の会話で話題にのぼり、何らかの理由で後で使おうと心に留めておいたことを単に覚えているだけかもしれない。もし、歴史家が二〇世紀を理解できるのであれば、その大部分を可能にするのは、観察することと耳を傾けることとである。そうすることで筆者は学ぶことがあったし、そのいくばくかを、読者諸氏に伝えてこれたのではないだろうか。」

権力側から書いた公の歴史だけでなく、オーラルヒストリー（口承の歴史）、それから民衆史なども重視しないといけない、と言っているわけですね。ここはホブズボームがマルクス主義者だから、歴史は人民大衆によって作られていくんだ、という考え方の反映です。

「ナリチュウ」の文章は書くな

次は序章にあたる「二〇世紀を俯瞰する」へ移って、四二ページの頭から読みましょう。

「わたしたちは、第一次世界大戦勃発からソ連崩壊までの「短い二〇世紀」をどう理解しようとしているのだろう？　振り返ってみるとこの時期は、いま終わりを迎えつつある一つの歴史的時代を形作っている。この「短い二〇世紀」によって来るべき時代の形は作られていくのだろうが、次がどんな時代になるのか、どんな三千年紀になるのかは見当がつかない。それでも、一九八〇年代後半から一九九〇年代初頭にかけて、世界史における一つの時代が終わりを告げ、別の時代が始まったことは間違いないだろう。これを知っておくことは、二〇世紀の歴史家にとって必要不可欠である。なぜなら歴史家の仕事は、過去の理解に基づいて未来を予測するとはいえ、競馬の予想屋がするような類の推測ではないのだから。歴史家が伝え、そして分析すると主張しうるのは、勝敗が決した出来事だけである。いずれにせよ、ここ三十―四十年になされた予測というのは、予測する者の肩書きや資格がどうあれ、見事なまでに外れている。いまだに予測が当たるだろうと信じているのは、政府や経済研究所くらいだ。あるいは、信じているふりをしているだけかもしれない。第二次世界大戦以降、予測は当たらなくなってきたのかもしれない。」

もちろん未来を予測するのは難しいけれど、予測した以上、責任は生じるんだよね。実を言えば、さきほど紹介したユヴァル・ノア・ハラリなんて人には新型コロナウイルスをめぐる発言権はない、と私は思っているんですよ。

なぜかと言うと、世界的なベストセラーになった『ホモ・デウス　テクノロジーとサピエンスの未来』の中で、彼は三つのことが克服されて現代が成り立っていると言っています。三つのこととは一番目が飢餓、二番目が疫病、三番目が戦争。少なくとも、疫病の克服はできていないことが今回明らかになったわけです。

ハラリは今も「死者の数は少ない。人類は生き残る」みたいに言っているけれども、ハラリ・モデルからすると、感染症の蔓延などもはや起きないという前提で『ホモ・デウス』を書いたし、最新作の『21 Lessons　21世紀の人類のための21の思考』（河出書房新社）にも、感染症なり疫病なりは出てこないのです。だから、彼の予測は既に外れていますよ。それなのに頰かむりして、新たに「時代の提言」をしている。やはり私たちは、「ハラリのモデルは根っこのところで間違えていたんだ」ということを押さえておかないといけない。だって、ほんの数年前の本ですからね、わずか数年でこれだけ大きな予測が外れているんです。でも予測って、間違えるものではあります。

だから、間違えずにすむためには予測しないことなんですよ。雑誌の論文を見ても、「コロナ問題は非常に深刻で、今後の成り行きが注目される」みたいな結びになっている文章はけっこう多いでしょ？　これは外務省では「成り行きが注目される」を略して「ナリチュウ」と呼ばれていた文章のスタイルです。私は若い頃、外務省の先輩から「ナリチュウの文章だけは絶対に書くな」と徹底的に叩き込まれました。もちろん成り行きが注目されてるから、そのテーマを扱っているわけで、そんなことは言わずもがな。今後どういうふうになるかについて書かなければ分析ペーパーの意味がない。これは分析担当者になった時、先輩たちから厳しく言われたことです。

「黄金時代」という用語

ホブズボームの続きを読みましょう。

「この本では、「短い二〇世紀」は三部作のような構造になっている。あるいは、二枚のパンに具を挟んだサンドウィッチといってもいい。まず来るのは「破滅の時代」で、一九一四年から第二次世界大戦の結末までだ。次に、二十五―三十年ほどの驚異的な経済成長と社会の変質が起きた時代について扱う。これだけ短い期間でこれほど社会が大きく変わった時代はこの時以外におそらくないだろう。いま考えても「黄金時代」のようなものだったといえるし、一九七〇年代初頭にこの時代が幕を下ろした時にもすぐにそう認識された。そして、最後に来るのが腐敗・不安・危機、そして破滅の時代である。破滅の時代は、アフリカ・旧ソ連・ヨーロッパの旧社会主義国といった世界の広い範囲にとくに当てはまる。一九八〇年代から一九九〇年代へと時代が移るにつれ、過去と未来を真剣に考える人々の様子は、世紀末的な影を帯びるようになっていった。一九九〇年代から振り返れば、「短い二〇世紀」は、一つの危機の時代から短い「黄金時代」を経て別の危機の時代へ移り、未知で不確かな未来――かといって、必ずしも黙示録に描かれているような未来ではない――へ向かっていった時代だったとわかる。しかし、あれこれ想像をめぐらす浮世離れした思索家たちに「歴史の終わり」に気づいて欲しいと歴史家が願うように、未来はやって来る。歴史をひどく単純にまとめてしまえば、人間が存在する限り、歴史は続くのだ。」

この「人間が存在する限り、歴史は続くのだ」というのがホブズボームの信念ですね。破滅の時代から黄金時代、その後、腐敗・不安・危機、そして破滅の時代へというふうな一種の循環史観です。現在の歴史学者たちのホブズボーム批判で一番大きいのは、この「黄金時代」というのが西ヨーロッパ中心主義、もしくは西ヨーロッパと北米中心主義じゃないかという批判なんです。

なぜかと言うと、ホブズボームが「黄金時代」と呼んでいる時期にソ連ではスターリンの粛清《しゅくせい》が起きているじゃないか。あるいは、中国では文化大革命が起きているじゃないか。アフリカにおける貧困の拡大があるじゃないか。ああいうことに目を向けないで、黄金時代と言ってしまっていいのか？

確かに、その批判に意味はあるのだけれど、結局、歴史という概念自体、やはり主流の人たちが作る「強者の概念」なんですよ。民衆史などと言っても、強者による歴史への後付けだからね。支配者の側からの歴史を一応押さえておいて、その上で、われわれはそれを批判的に検討していくというアプローチを取った方がいいと私は思います。

本当の「二一世紀」が始まる

勘の鋭い人はもう気づかれたでしょうが、この新型コロナウイルス禍の中でなぜホブズボームを読んでいるかと言えば、「短い二〇世紀」が今まさに、完全に閉じたからですよ。ソ連が崩壊した時に、ホブズボームが言うように「別の時代が始まった」ことは間違いありませんが、その一九九一年から二〇二〇年までは、「短い二〇世紀」が終わった後の凪《なぎ》の時代、汽水域《きすいいき》の時代でした。ですから、緩やかに古い時代と新しい時代が混在していたのです。私の見るところ、例えば中国を「スターリン国家だ」と呼んで済ませてきたようなトランプ政権は「短い二〇世紀」の残滓《ざんし》、いわば「最後の「短い二〇世紀」型の大統領」だったのでしょう。

そんな凪の時代が三〇年続いた末、ついに新型コロナウイルスの全世界的流行によって二〇世紀の残滓は消え、二〇二〇年から本当の「二一世紀」が始まった、というのが私の作業仮説です。この二一世紀が長く続くのか、短く終わるのかは誰にも分かりません。新しい世紀において、新自由主義が世界を覆いつくすのか、そんなグローバリズムへの反動が来るのか、あるいはヨーロッパで先行して見られる環境ファシズムみたいな運動が力を持つのか、もしくは全然違った勢力地図が出来上がるのか、そこは分からない。そんな海図なき時代こそが新しい世紀の特徴なのかもしれないのです。

しかし、ただひとつ言えるのは、二〇二〇年になって、前の時代との類比がようやくできるようになったということですよ。つまり、ミネルヴァの梟がやっと飛び立てるようになったわけです。これは「短い二〇世紀」が残滓に至るまで消え去ったからですよね。

武道や芸道などで「守《しゅ》・破《は》・離《り》」という言葉があります。まずは「守」、型を学ばなければ、型破りの発想をし、自分で何かを生み出すこともできません。型を知らずにいくら頑張っても、ただの出鱈目になるだけですからね。近代――「短い二〇世紀」の終焉までの、長い意味での近代――という時代の型を知るためには、ホブズボームのこの本はうってつけなんです。みなさんと一緒にホブズボームを読み込み、「短い二〇世紀」をきちんと総括して、私たちの生きる今日と類比することで、新しい世紀を生きていく知恵や覚悟を少しでも身につけたいと思います。

ソ連崩壊から今日までの三〇年は、新自由主義の跋扈《ばっこ》にせよ、テロリズムの横行にせよ、新帝国主義の勃興にせよ、合理的理性の退行にせよ、来るべき本当の「二一世紀」のためのエチュード（習作）の時間だったと言ってもいい。いよいよ、これから本番が始まるわけです。言い換えれば、私たちが否応なく、「二一世紀」という作品を作っていかなくてはならないわけです。

われわれ物書きだって、新しい世紀が始まったことに敏感でいなくちゃなりません。もう、これからは近代の枠組みに拠った発信は力を持たなくなるでしょう。このところ、あんなに冴えていた柄谷行人さんの発言に有効性が失われたように見えるのは——浅田彰さんや東浩紀さん、宮台真司さんなども含めて——、トランプ（前）大統領同様、二〇世紀の枠組みの中で思考しているからだと思います。ホブズボームの枠組みから出られていない、と言ってもいい。私は二〇世紀どころかプレモダン（前近代）に思考の軸足があるので、これ以上、時代からズレようがないからいいけどね（笑）。

では、ここまでで一コマ目を終わりましょう。問題を出しておきますね。

問1
(1)クロノスとカイロスについて説明せよ。一〇〇字くらい。
(2)自分にとってのカイロスを具体例を挙げて説明せよ。二〇〇字くらい。

問2　ハラリ・モデルとトッド・モデルについて説明せよ。二〇〇字くらい。

問3
(1)「短い二〇世紀」について説明せよ。一〇〇字くらい。

(2)「短い二〇世紀」の発端と終点の出来事について、その意義を説明せよ。二〇〇字くらい。休憩時間の終わる二〇分前に提出してください。講義が延びたから、休憩時間は二〇分しかないわけですね（笑）。

Ⅱ　終わらなかった歴史の中で

みなさん、よく問題をこなしていましたから、もう少し全体のスピードを上げても大丈夫そうです。まず、ホブズボームの続きを読んでいきましょう。四三ページの後ろから三行目です。

二〇世紀の三一年戦争

「こうした流れに応じて、本書は次のように構成されている。まず、一九世紀の（西洋）文明の瓦解を示す第一次世界大戦から始まる。一九世紀の文明は、経済という点では資本主義であり、法律・憲法の構造はリベラルで、この時代特有の支配階級といって思い浮かぶのはブルジョワであった。また、科学・知・教育だけでなく、物質的・道徳的な面も華々しく進歩した。そして、科学・芸術・政治・産業における革命が起きた場所として、ヨーロッパの中心性がおおいに確信されていた。ヨーロッパ経済は世界のほとんどの地域を席巻し、軍隊も世界全域をほぼ征服し、支配下に置いた。人口も増え、世界人口の三分の一を占めるまでに成長した（ヨーロッパから他の地域へ増えつつあった大量の移住者とその子孫も含む）。そして、世界政治のシステムは、ヨーロッパの主要国によって構成されていた。

こうしたヨーロッパ社会にとり、第一次世界大戦が勃発してから第二次世界大戦が終わるまでの時期は、「破滅の時代」であった。」

第一次世界大戦（一九一四―一八年）の勃発から第二次世界大戦（一九三九―四五年）の終わりまでは「破滅の時代」で、ホブズボームがこれを二つの戦争があったと捉えずに、三一年間続いた一つの戦争であると見ているのは既に述べた通り。つまり、両次大戦を戦間期も含めて二〇世紀の三一年戦争だと考えているわけです。

一七世紀に「三〇年戦争」（一六一八―四八年）という、近代において大きな意味を持つ戦争がありましたが、あの時も和約や休戦を繰り返して、実際に戦闘をしている期間は半分もなかったんじゃないかな。もっとも、あの当時の兵隊は傭兵が主体だから、陣形や状況を見て、「これはこっちが負けるな」と思うと、すぐ逃げちゃう。だから戦闘があまり成立しなかった（笑）。でも、ずっと戦争体制下にはあったから三〇年戦争と呼ばれているわけです。やはり二〇世紀の両次大戦間も戦争体制下にあったと見て、あの三一年間も一つの長い戦争が続いていたんだ、という考え方ですね。

「四十年のあいだに次から次へと大きな災難に見舞われた。賢明で慎重であれば、この社会が存続する方に決して賭けないような時期すら、一度や二度ではなかった。二つの大戦に揺さぶられただけでなく、その後の世界的な反乱・革命の二つの大きな流れによっても激震が走った。このような反乱・革命により、ブルジョワ的資本主義社会にとって代わることが歴史上の運命だと主張する体制——はじめは世界人口の六分の一を、第二次世界大戦後には三分の一に及んだ——が権力の座に就いた。こうして、「帝国の時代」とその前に築かれた広大な植民地帝国は揺らぎ、粉々に砕け散った。近代帝国主義は、大英帝国のエリザベス女王が死去した頃には非常に強固で、自信に満ち溢れていたが、けっきょく、人ひとりの一生——例えばウィンストン・チャーチル（一八七四—一九六五）——よりも長続きせずに終わってしまった。」

体制というのは一見頑丈そうに思えるけど、長続きしないんだよね。超大国と言われたソ連だって七〇年しか持たなかった。日本人の平均寿命よりも短いのです。

そして資本主義は延命した

続く部分は少し長めに読みましょう。社会主義と資本主義のいささか皮肉な関係について述べています。

「破滅をもたらしたのは、二つの大戦だけではない。世界を襲った未曾有の経済危機は、資本主義経済を掲げる経済大国すら叩きのめした。またこれにより、一九世紀の自由主義的な資本主義の大きな成果である世界中に広がる世界経済システムは、それが作り上げられた過程が巻き戻されていくかのようだった。戦争と革命を逃れたアメリカですら、崩壊が目前に迫っているかにみえた。経済がふらついているあいだ、ファシズムやその傀儡となった独裁主義者たちによる動きと支配が進むにつれ、一九一七—一九四二年の間に自由民主主義の制度は、ないも同然の状態になった。それを免れたのは、ヨーロッパの外れや北米、オーストラリアの一部のみだった。

この危機に対して、自由主義的な資本主義と共産主義は、自衛のために一時的であったとはいえ奇妙な同盟状態にあり、これによって民主主義は救われた。というのも、ヒトラーのドイツに対して本質的に勝利を収めたのはソ連の赤軍で、かれらでなければ勝てなかっただろうからだ。ファシズムに対して資本主義と共産主義が同盟状態にあったこの時期——基本的には一九三〇—四〇年代——は、いろいろな意味で二〇世紀の歴史のターニングポイントや決定的瞬間となった。資本主義と共産主義という、反ファシズムで一致した短期間を除いて、ほぼ一世紀にわたって妥協なく対立した関係における歴史的逆説の瞬間だった。ソ連がヒトラーに勝てたのは、十月革命によって作られた体制の手柄である。このことは、第一次世界大戦中の帝政ロシアの経済と第二次世界大戦中のソ連経済とを比較すればわかる(Gatrell/Harrison 1993)。もしソ連が勝っていなければ、今日の(アメリカを除く)西欧は自由主義的な議会制を基調とするさまざまな形ではなく、独裁主義やファシズムのヴァリエーションから成る世界になっていただろう。資本主義を世界から締め出すことを目的としていた十月革命の帰結のうち一番長くもちこたえたものにより、戦時も平時も敵が救済されることになったのは、二〇世紀という奇妙な時代の皮肉である。平時というのはつまり、第二次世界大戦が終結した後にもということであり、恐怖という形で資本主義の自己改革を刺激したし、計画経済の評判を確立することで資本主義は改革のための道筋を与えられもした。

こうして自由主義的な資本主義は、不況・ファシズム・戦争の三重苦を辛うじて生き延びたわけだが、しかし、今度は世界的に進行している革命に直面したかにみえた。こうした革命は、第二次世界大戦後に超大国として浮上してきたソ連のもとに集結できた。

それでも、いま振り返ればわかるように、社会主義による資本主義への世界規模での挑戦は、資本主義に弱点があったからこそ強かった。「破滅の時代」に一九世紀的ブルジョワ社会が崩壊していなければ、十月革命もソ連も存在しえなかっただろう。また、かつて帝政ロシアであったユーラシアの荒廃した土地で社会主義の名のもと行き当たりばったりでつくられた経済システムは、世界中で本当に資本主義経済にとって代われるなどとは、自他ともに考えていなかっただろう。そんな社会主義が、資本主義にとって代われるシステムであるかのような振る舞いができるようになったのは、一九三〇年代の大恐慌がきっかけだった。これは、ファシズムという挑戦があったからこそ、ソ連がヒトラーに勝つうえで欠かせない道具となり、それゆえ二つしかない超大国――その対立は、「短い二〇世紀」の後半を席巻し、慄かせた――の一つとなれたのと同様である。こうしたことがなければ、ソ連は二〇世紀半ばの十五年間、世界人口の三分の一を占め、短いあいだではあったが、資本主義経済の成長を凌ぐかにみえた「社会主義陣営」の頂点に就くこともなかっただろう。」

ここでホブズボームが言っているのは、社会主義という壮大な実験はやがて失敗に終わるけれども、一時は成功したし、それだけではなくて資本主義の延命にも非常に大きな力を貸した、ということです。

資本主義は放置しておくと、富の二極化がどんどん進んでいって、底辺の方へ転がり落ちてしまった人は自分の力では這い上がれなくなる――そんな構造になっています。

マルクスとエンゲルスは、この底辺に落ちた人たちをプロレタリアートと位置づけて、「失うものは鉄の鎖以外何もない」(『共産党宣言』)と啖呵を切ったわけだよね。そういう人たちを結集して、革命を行うんだと主張し、やがてソ連という国家が出来た。かつては、この革命に対する「恐怖」が資本主義を覆っていったわけです。すると、あまり搾取をし過ぎて革命が起きるといけない、体制が転覆するといけないから、国家が介入する形で資本家の儲けを削って、その分を労働者なり農民なりに分配するという政策を採った。

この再分配政策を社会民主主義と呼んでもいいし、福祉国家と呼んでもいいでしょう。旧東側とか日本のマルクス経済学者は「国家独占資本主義」と呼んだものです。あるいはフランクフルト学派は後期資本主義 Spätkapitalismus という言い方をしています。

ところが一九九一年にソ連が崩壊し、壮大な実験はついに失敗に終わり、社会主義体制がなくなってしまったから、もう革命の心配をする必要もないわけです。すると、資本主義本来の姿が頭をもたげてきて、それが新自由主義という形で顕在化してきた。そんな構図でホブズボームは時代の流れを捉えているし、これは歴史のつかみ方として正しいと私も思います。

「歴史の終わり」の誤謬

ソ連崩壊はホブズボームの言う通り、ある時代の幕を下ろしましたが、それを「歴史の終わり」とまで呼んだ人たちもいました。

「第二次世界大戦後、資本主義は未曾有かつおそらく特異な「黄金時代」（一九四七—七三年）に突入することとなった。これには資本主義そのものも含め、誰もが驚いた。この過程と原因を明らかにすることは、おそらく、二〇世紀の歴史家に課せられた大きな課題ではないだろうか。いまのところ一致した答えはなく、筆者も納得のいく答えを出せるわけではない。より説得力のある分析は、二〇世紀後半の「長期波動」を完全に見渡せるようになるまでは無理だろう。「黄金時代」全体を振り返ることはできても、「黄金時代」後、世界が引きずっている「危機の時代」は、本書を執筆している時点でまだ完結していない。しかし、いまの時点であってもかなり確信をもって評価を下せることはある。それは、大戦後に経済・社会・文化が異常なスケールで、有史以来もっとも大きく、もっとも速く、もっとも根本的に変化し、影響力をもったことである。その多様な側面に関しては、本書第Ⅱ部で議論する。二〇〇一年から始まる第三千年紀には、二〇世紀を研究する歴史学者は、二〇世紀が歴史に与えた大きな影響は、「黄金時代」という驚くべき時代によって、この時期に作られたものだとみるだろう。なぜなら「黄金時代」は、世界中あらゆる所で人間の生活を後戻りできないほど大きく変えてしまったからである。そしてその変化はいまなお続いている。つまり、ソ連という帝国の崩壊に「歴史の終わり」を嗅ぎ取ったジャーナリストたちや達観した物書きたちは、誤っていたということになる。人類の圧倒的多数が食物を育て、動物の世話をして生活していた長い時代を「黄金時代」が終わらせたのだから、石器時代に農業の発明とともに幕を開けた人類の七、八千年の歴史が二〇世紀の第三・四半期に幕を閉じた、といったほうがいいだろう。」

チバさん、この「歴史の終わり」ってどういう意味ですか？

チバさん　ソ連が崩壊して共産主義はなくなり、資本主義が永遠に続くので、歴史が終わったという考え方です。

では、歴史が終わった後、世界はどういうふうになるわけ？

チバさん　フランシス・フクヤマさんは、おそらく資本主義が永遠に続くと言っていたんじゃないでしょうか。

永遠に続いていくのだから、もうイデオロギーの対立などの、「大きな物語」はなくなるわけだよね。あとは「小さな差異」が非常に重要になってくると。これは思想的にはどういうことになる？

チバさん　ポストモダン思想です。

そう、ポストモダニズムですね。いま言われたフランシス・フクヤマの「歴史の終わり」、同じ題の書籍が渡部昇一さんのいい翻訳で日本でも刊行されているんですが、あまり真面目に読んでいる人はいないんだね。この本でフクヤマは、ロシアからドイツ（のちフランス）へ亡命したヘーゲル哲学者、アレクサンドル・コジェーヴの思想のフレームを援用していま す。つまり、ヘーゲル的な「歴史の終焉」を現代に適用しているわけです。

ヘーゲルは、歴史はプロイセン王国で完成したと見ました。その先は、この王国が永遠に発展していくだろう、つまり、ここで歴史は終わるという考え方をした。フクヤマは、現代は社会主義と資本主義の対立の末に、資本主義が勝利し、資本主義体制が正当性を証明して永続することで歴史の終わりが来たと考えた。

チバさん、このフクヤマの仮説は正しかったでしょうか？

チバさん　いえ、歴史は終わりませんでした。

歴史が終わらなかったという事実は、具体的にどうやって出てきました？

チバさん　例えば――殺し合いが、テロリズムやナショナリズムの高揚によって続いたからです。

そうですね。一つには二〇〇一年九月一一日の米国同時多発テロ以降、テロリズムの時代が来ました。そして、トランプの登場によって米中の対立が極めて先鋭化してきた。アメリカはロシアとも対立を深めてます。つまり、新帝国主義的な対立も起き始めた。おそらく、こういう対立は新型コロナウイルス禍によって、ますます加速するでしょう。だから、歴史は終わっていなかった。

ですから、私は「二〇二〇年から本当に「二一世紀」が始まった」と言ったけれども、新しく劇的な変化が起きたわけではないのです。トッドが言ったように、既に起きつつあった変化が新型コロナウイルスによって加速したんですよ。裏返して言えば、加速したことによって、新しい世紀の幕が切って落とされたんです。

フクヤマは結論を出すのが早過ぎたんですね。ミネルヴァの梟はまだ飛び立っていなかったわけです。ただ、ホブズボーム自身もソ連崩壊を産業時代の一つの終焉と考えている感じはします。つまり、農業と工業は存在し続けるけれども、新しい価値を生産していくのは「情報」へと移っていった。モノからコトへ移っていく、というイメージは彼の頭にあったでしょうね。ホブズボームの亡くなったのは二〇一二年ですから、ＡＩまでは見通せていなかったにせよ。

ケインズ政策の興亡

続く箇所も長く読んでみましょうか。現代史の復習になりますよ。

「黄金時代」に比べると、長い目でみれば、一六、一七世紀の宗教戦争ないしは十字軍に相当するような「資本主義」と「社会主義」の対決は、それぞれの陣営の代表だと主張する米ソなどの国や政府介入の有無にかかわらず、歴史的視点からすると面白みに欠けるように思われるかもしれない。「短い二〇世紀」のどの時期にせよ、この世紀を少しでも経験した者にとっては、資本主義と社会主義が巨人であるのは当たり前だからだ。本書でも大きく取り扱っているのは、この本を、筆者、つまり二〇世紀の文筆家であるわたしは、二〇世紀末の読者を想定して書いたからである。かなりの紙幅を割いて、社会革命や冷戦、「国家社会主義」の性質・限界・致命的な欠陥とその崩壊について論じた。そうはいっても、十月革命に刺激された体制による影響が大きく、また長く続いたことで、後進農業国の近代化が強力に加速したことを記憶しておくのも大事である。実際この点で、社会主義は資本主義の黄金時代と同時期に主たる成果を挙げていた。先人たちの世界を葬り去るうえで、この対立する戦略がどれほど効果的だったのか、あるいはどれほど自覚的に続いたのか、ここで考える必要はない。あとで述べるように、一九六〇年代初めまで、両者は少なくとも互角にみえていた。ソ連で社会主義が崩壊したことを考えると、これは馬鹿げた見解だろう。しかし、あるイギリスの首相は某アメリカ大統領と話している時、当時のソ連を、「その好景気は（中略）物質的豊かさの競争で資本主義社会をすぐ追い抜いてしまうだろう」とすら考えていたのだ（Horne 1989, p. 303）。ところが、ここが肝心なのだが、一九八〇年代には社会主義のブルガリアと非社会主義のエクアドルでは、一九三九年時点より共通点が増えていた。

ソ連の社会主義の崩壊とそれに続いて起きたことは計り知れず、いまだ確かなことはいえない。しかし多くは歓迎できることではなかった。この崩壊と帰結は、「黄金時代」の次の「危機の時代」でもっとも劇的な出来事となった。しかしその後数十年に及び、危機は「普遍的」、つまり世界規模での危機の時代が来た。なぜなら、ソ連崩壊の危機は、規模は違えどさまざまな形でさまざまな地域に影響を与えたからだ。そう、政治・社会・経済がどんな形をとっているかにかかわらず、すべてに影響したのだ。なぜかといえば、「黄金時代」に単一の世界経済が歴史上はじめて創られていたからである。この世界経済の統合はどんどん進んで世界のあまねく地域に及び、多くの場合は国境線を越え（「トランスナショナルに」）、そしてイデオロギーの境界線をも越えて動いていた。その結果、あらゆる体制やシステムが有する制度についての通念は基盤を失うこととなった。一九七〇年代に起きたいろいろな問題は当初、世界経済の「大躍進」における一時的な小休止にすぎないと希望的観測がなされていた。そして、どのような経済体制・政治体制をとっているかにかかわらず、あらゆる国家は当座の解決策を模索した。しかし、困難が長く続きそうな時代であることがしだいに明らかになっていった。そしてこの困難を乗り越えるために、資本主義国は根本的な解決策を求め、無制限の自由市場を奉る世俗の神学者に従うことも多かった。この神学者たちは、「黄金時代」に世界経済に大きく貢献したが、当時すでに陰りをみせていた政策を拒否した。こうした自由競争を信奉する過激論者たちは、しかし、ことさら成功したわけではなかった。」

ナリタさん、ここで言ってる「「黄金時代」に世界経済に大きく貢献したが、当時すでに陰りをみせていた政策」って、何？

ナリタさん　資本主義ということですか？

資本主義は資本主義だけれど、具体的には、資本主義の中でもケインズ政策を指しています。戦後の黄金時代において、資本主義国の多くはケインズ政策、つまり政府の介入によって有効需要を作り出してきた。それがどうして限界に達したかと言えば、ケインズ政策って要するにお金をどんどん刷っていくインフレ政策の下で公共事業などを行えば、景気は回復するという考え方ですよね。ところが、一九七〇年代の終わりから八〇年代初めにかけて、スタグフレーションという現象が起きてきたんです。

これはインフレと不況が同時進行するものです。インフレを故意に進めても、インフレがただ進むだけで景気が回復しない。このスタグフレーションの理由を検討した結果、国が社会福祉や労働政策にお金を払い過ぎるからだとなって、経済の全ては自由に、市場にやらせればいいんだ、という考えに変わってくるんです。

日本において、この手の政策へ大きく舵を切ったのは二一世紀になってから、具体的には小泉純一郎からだと言われているんだけど、違うんですよ。中曽根康弘なんです。八〇年代の中曽根首相の時に臨調（臨時行政調査会）で改革を行い、国鉄を民営化していくなどの政策を採っていった。その次は、九〇年代後半に「小さな政府」と言った橋本龍太郎首相です。

キャップ制という財政削減政策を採って歳出を抑制していきました。だから、新自由主義的な流れは日本でもさまざまなせめぎ合いをしながら一九八〇年代前半に出始めてきて、やがて九〇年代になってグッと加速していった、というプロセスなんです。

スタグフレーションが起きるか

もう少し、この箇所を続けましょう。

「一九八〇年代そして一九九〇年代初頭には、「黄金時代」がすでに取り除いたかにみえた戦間期の重荷がのしかかり、資本主義社会は再びよろめいた。重荷とはすなわち、大量の失業者、景気循環で厳しい不況に陥ること、そして、限られた国家予算と青天井の国家支出との狭間で物乞いする家なき者たちと贅沢できる富をもつ者の対立がかつてないほど鮮烈になったことである。いまや経済が弱体化している社会主義国は資本主義国と同じくらい、あるいはそれ以上に、過去との根本的な決別を迫られた。そして周知の通り崩壊した。この崩壊は、第一次世界大戦が「短い二〇世紀」の始まりの記念碑となったように、「短い二〇世紀」の終焉を印す墓標ともいえる。この時点で、わたしが語る歴史は幕を閉じる。」

だから「短い二〇世紀」はソ連崩壊で終わったということですね。

ところで今、コロナ禍の中で政府はさまざまな給付金を出したり、財政支出を行ってるでしょう？　ヤマシロさん、これはどうやって最終的に処理すると思う？

ヤマシロさん　増税ですか。

最終的には増税になるけども、直に増税へ行けるかな。私は赤字国債の発行だと思う。もう事実上、日銀が引き受ける形で、青天井でやっているから、コロナ国債はあり得るでしょう。するとと、主流派のエコノミストは全く言っていないけれど、いま言ったスタグフレーションが起きる可能性があると思う。すなわち、デフレスパイラルから抜け出すというより、もっと性質《たち》の悪い形で物価が上がっていく。しかし経済は停滞しているから賃金は上がらず、さらに失業なども生じていく。そんなインフレと不況の同時進行が起きるんじゃないか。

このスタグフレーションについて、理論的に解明しているのは主流派の経済学者にはほとんどいません。そのくせ、かつてデフレを克服したと思っていたのと同じように、スタグフレーションはもう克服したと考えているんです。また来るかもしれないスタグフレーションについて考えるためにお薦めしておくのは、マルクス経済学者で埼玉大学名誉教授の鎌倉孝夫《かまくらたかお》さんの『スタグフレーション　日本資本主義体制の終末』（河出書房新社）。新版でも一九八〇年に出た本だし、かなり難しい内容だけれども、最初の「体制終末の論証と実証」という章を丁寧に読めば、原理的には今でもこの分析が使えることがよく分かると思います。

国民国家の行く末

ホブズボームを続けましょう。

「本書は、一九九〇年代初めに完成した書籍の例に違わず、先をどう見渡していいのか曖昧なまま閉じられる。世界が部分的に壊れたことで、残りの部分が病んでいることが明るみになった。一九八〇年代から一九九〇年代へと移るにつれ、世界危機は経済全般だけで起きるものではなく、政治でも起きていることがはっきりしてきた。イストリア半島からウラジオストックにかけての地域で共産主義政権が崩壊したことで、広大な領域で政治は不確実で不安定、混乱状態、内乱に陥っただけでなく、およそ四十年にわたって国際関係を安定化させてきた国際システムも壊れてしまった。そして国際システムの安定に本質的に依存してきた国内政治システムの不安定さも露わになった。不安定な経済から生じる緊張により、議会民主制であれ大統領制であれ、第二次世界大戦以来、先進資本主義国で非常にうまく機能していた自由民主主義の政治システムは弱体化した。また第三世界でも、政治システム――どのようなものであれ――が弱まった。政治の基本的な単位、すなわち、一定の領域を支配する主権をもつ独立した「国民国家」という単位じたいが、もっとも長い歴史をもち、安定している国においてすら、超国家的ないし国境を越える経済の力と、分離独立を求める地域的集団やエスニック集団といった国内諸勢力によりバラバラにされていったのだ。なかには、主権を有するミニチュア版「国民国家」という、時代遅れかつ非現実的な地位を求める者もいた。まさに歴史の皮肉である。政治がこの先どうなっていくのか、見通しは立っていなかった。それでも、「短い二〇世紀」の終わりに危機が訪れているということは、わかりすぎるほど明らかであった。」

ノガミさん、この「分離独立を求める地域的集団やエスニック集団といった国内諸勢力によりバラバラにされていった」って、例えばどこを指している？

ノガミさん　ユーゴスラビア。

ユーゴスラビアは典型的でした。今、ホブズボームの文に「イストリア半島」と出てきたところですね。では、そこまでは至っていないけども、国家制度が非常に弱くなってるのは？

ノガミさん　イギリスのスコットランドとか、スペインのカタルーニャとか……。

そうだね。日本にもあるかな？

ノガミさん　沖縄です。

沖縄の自民党は初めて辺野古移設を容認し始めています。一方で、沖縄の公明党は「辺野古移設は認めず、県外か国外へ」と強く打ち出している。こういう動きは中央での自公連立とは別に、ホブズボームの言うような国内のエスニック集団によって国家システムがバラバラになっていくプロセスかもしれないし、今後の中央政府との関係次第では「ミニチュア版「国民国家」」という方向へ行く可能性もあるでしょう。

ところが、沖縄に関して中央政府は強く出ているけれども、アイヌに対してはどう？ 莫大なお金を投入して、北海道の白老《しらおい》町に「ウポポイ（民族共生象徴空間）」を作ったりするわけでしょう。これは国としてアイヌが先住民族だと認めることで、中央政府の統制下に入るようにしているわけです。国家体制をバラバラにするエスニック集団には決してさせずに、文化自治までにとどまるように先手を打っているんですよ。

ホブズボームの書いていることは、現在の日本の現象とも非常に結び付いています。

ナカムラさん　質問が一つあります。いまの箇所、「主権を有するミニチュア版「国民国家」という、時代遅れかつ非現実的な地位を求める」云々《うんぬん》という部分がよく理解できないのですが——。

国民国家、民族国家ができるときのポイントになるのは言語なんです。

今、国連に加盟している国は百九十数カ国、ざっくり言って世界に二〇〇の国家があるとしますね。地球上に言語というものは少なく見積もっても七〇〇〇ぐらいはあるわけです。その七〇〇〇の言語を話す人たちは、自分たちの言語を話す、つまり共通の文化を持つ集団によって自分たちの国を作りたい、ネーションステート（国民国家）を作りたいという潜在的な考え方を持っているんです。

そうすると、存続に成功している国家ひとつの背後には、平均三四個もの存在しない国家が眠っているわけですよ。全ての民族の自決権に基づいて国家を作るってことになると、世界は七〇〇〇ぐらいのモザイク状になっちゃう。それは非現実的でしょう？　ところが、いまだそういった「自分たちの民族によって国家という政治単位を成したい」という衝動はあるのです。だから、ネーションステートを築き上げるのに成功した人びともいれば、成功しなかった人びともいる。この国民国家を追求していくと大変な紛争になってしまう。

例えば、ひとつの土地にふたつの民族が住んでいれば、どちらのものかという紛争が起きる。ユーゴスラビア紛争の原因はそこにあるわけですよね。だからホブズボームは国民国家というものを「時代遅れかつ非現実的」と呼んでいるのです。

人間中心主義や共同体の衰弱

「世界経済と国際政治が先行き不安定であった以上に、社会や道徳も明らかに危機に瀕していた。この社会的・道徳的危機は、一九五〇年代以降に人間の生活が激変したことを反映してのことだった。生活の激変は、「危機の時代」にも、ややこしい形ではあったが広い範囲で起きていた。それは、合理主義が前提とするものと人間中心主義が前提とするものをめぐり、周知の通り、一八世紀初頭に近代的な人々が古色蒼然とした考えの人々に勝ってからこのかた、近代社会がその礎《いしずえ》としてきた信条や前提の危機であった。近代社会の信条や前提は、自由主義的な資本主義であっても共産主義であっても共有していたもので、だからこそ、これを拒否したファシズムに対して、期間は短くとも確固とした同盟を組めたのだ。保守的な評論家であるドイツのミヒャエル・シュテュルマーは、東西両陣営の信条が論争の焦点となっていると述べたが、この観察は正しかったことになる。

奇妙なことに、東と西で似たようなことが起きている。東では、国家の教義として人間こそ国の運命を左右すると主張されている。しかしわたしたちだって、東側ほど公式で過激でなくても、「人間は人間の運命を決める主人となる途上にある」というスローガンを信じているのだ。人間を全能だとする主張は東では完全に消えてしまっている。わたしたちの側でもかつてに比べれば減っている。いずれにせよ、両陣営で破綻している（Bergedorf 98, p.95）。

逆説的であるが、科学技術に基づく物質的進歩の大勝利に支えられ、人間に恩恵をもたらしたとされる時代はけっきょく、西側の世論の大多数や思想家と称する人々がこうした勝利を認めないなか、幕を閉じた。」

近代社会が前提としてきた「人間」よりも、テクノロジーの方が優位になってきたということですね。ＡＩとかバイオテクノロジーの発展で、一層こういった発想は強くなっていきます。

「しかし、道徳的な危機は近代文明が前提としてきたことの唯一の危機ではなかった。人と人とのつながりという歴史的意味をもつ構造までもが危機に瀕した。この人と人とのつながりは、産業化・資本主義化する前の社会から受け継いだものであり、今ならわかる通り、これにより近代社会は機能することができた。社会を成り立たせている型が一つ危うくなっているというのではなく、あらゆる型が危うくなっていた。失われた漂う世代からは、ともすると実態がよくわからない「市民社会」や「コミュニティ」を求める奇妙な声が上がった。こういった要求は、このような言葉が伝統的な意味を失い、空虚なフレーズとなった時代に聞こえてきた。これ以外、集団としてのアイデンティティを定義できるような方法はなかった。誰が集団に参加できないか決めるという方法を除いては。

詩人T・S・エリオットにとっては、「こうして世界は終わる――銃声ではなく泣き声で」。「短い二〇世紀」は銃声と泣き声とともに幕を閉じた。」

ここは当たり前の話で、新自由主義的な流れが強まってくると、個人はアトム的にバラバラになってきます。それは「コミュニティ」が弱くなることを意味しますね。

もう一つ、「アソシエーション」というものもあります。コミュニティは自然発生的にできるもの、アソシエーションは各個人が自発的にそこに参加したものです。だから自分の村とか、近所の公立小学校とか公立中学校はコミュニティで、高校や大学や会社は自分が選んでいくわけだからアソシエーション的な要素が入ってくる。しかし今日では、伝統的なコミユニティも弱くなってくるし、アソシエーションも弱くなってきている、つまり共同体が両面で弱くなったというわけです。これは当たり前なのだけど、重要なポイントですよ。

カミュ『ペスト』の方へ

次は少し先、六八ページの頭から読みましょう。

「「ヨーロッパ全土で灯が消えようとしている」とは、イギリスの外相エドワード・グレイ（Edward Grey）が、イギリスとドイツが戦争に突入した一九一四年の夜、ロンドンの官庁街であるホワイトホールに灯る明かりをみながら言った言葉だ。かれは「われわれが生きているうちに、再び明かりが灯される日は来ないだろう」とも残した。ウィーンでは、偉大な風刺作家カール・クラウス（Karl Kraus）が、『人類最後の日々』というタイトルの七百九十二頁に及ぶ非凡な戯曲において、戦争を記録するとともに非難する準備を進めていた。二人とも、世界大戦を世の終わりと考えていたことがわかる。それはこの二人だけではなかった。しかし、人類は終わらなかった。とはいえ、オーストリアがセルビアに対して宣戦布告した一九一四年七月二八日から、日本が無条件降伏をのんだ一九四五年八月一四日（最初の原爆から八日後）を迎えるまでの三十一年、幾度となく、人類の大半が滅ぶ日はそう遠くないように思えた。敬虔な者が信じる、この世界と生きとし生けるものの創造主である神あるいは神々が、世界と生命の創造を悔やんだであろう時は、確かにあったのだ。

人類は生き残った。しかし、一九世紀文明という大神殿は、世界大戦の業火において、柱が崩壊するように崩れ落ちた。これなくして、「短い二〇世紀」を理解することはできない。この世紀は、戦争によって刻印を打たれたからだ。銃が鳴り響かない時、爆弾が破裂していない時も確かにあったが、しかし、この世紀は世界大戦を経験した世紀であり、そこからしか考えられない。「短い二〇世紀」の歴史、より具体的には崩壊と破滅の始まりは、三十一年にわたる戦争から始めなければならない。」

この二〇世紀の三一年戦争を総括した文学の一つが、いま世界的に再び注目を浴び、ベストセラーになっているアルベール・カミュの『ペスト』です。日本でも新潮文庫版が二〇二〇年三月以降の数カ月で四〇万部近く売れたと言います。ちなみに、カミュを不条理文学と位置づけ、評伝も書いたオリヴィエ・トッドはエマニュエル・トッドのお父さんです。『ペスト』というタイトル通り、ペストの発生によってロックダウンを余儀なくされた街の人びとが直面した不条理を扱っている小説ですが、カミュはむしろペストを寓意として扱っています。これはおそらく、第二次世界大戦中にフランス――正確に言うと、フランスの植民地であったアルジェリア――が置かれた状況が反映されています。ちなみにこの小説が刊行されたのはホブズボームの言う「三一年戦争」が終わった直後、一九四七年のことです。

第二次世界大戦中、ドイツ軍はパリを占領し、フランスの中部の都市ヴィシーに親ドイツのヴィシー政権を樹《た》てました（一九四〇―四四年）。これによって、フランスはドイツの同盟国になったわけです。

フランスにはレジスタンス神話というのがあって、戦後大統領になるシャルル・ド・ゴール将軍たちの活動は神話化、伝説化されていますが、彼らはアルジェリアやチュニジアなど北アフリカで戦闘していたとはいえ、本当に小さなグループでした。しかし、ヴィシー政権はドイツの傀儡《かいらい》政権に過ぎず、フランスはドイツに対して徹底的に抵抗したのだ——そんな物語を作ることで、連合国側に加わることができたのです。

日本でこのフランスの二重性に注目したのは文芸評論家の福田和也さんです。福田さんのデビュー作『奇妙な廃墟』は、フランスの文学者たちが第二次世界大戦中にヴィシー政権はじめドイツに戦争協力をしたことがきれいに消去されている、そこをどういうふうに見るべきか、という刺激的なテーマを扱っています。

ともあれ、アルジェリアは一九四四年七月までは、親ドイツのフランス国ヴィシー政権に抵抗するド・ゴールたちフランス共和国臨時政府の拠点でした。そしてヴィシー政権が崩壊した後は、新たな体制になったフランス（第四共和政）の植民地に戻るわけです。五〇年代になると、アルジェリアの独立戦争をきっかけにフランスは第五共和政になり、ド・ゴールが大統領になりました。

そして、カミュは一九一三年にアルジェリア、つまり植民地で生まれたフランス人で、四二年に『異邦人』を刊行、『ペスト』は彼の二作目の小説です。

ペストの発生と正常性バイアス

では、ここで『ペスト』をちょっと読んでみましょうか（ページ数は新潮文庫〈二〇〇四年改版〉版による。宮崎嶺雄訳）。

冒頭の一文は、「この記録の主題をなす奇異な事件は、一九四＊年、オランに起った」。オランというのはアルジェリア第二の都市、港湾都市です。ここで西暦の一桁目を＊にしていますね。特定の数字を入れると、フランス植民地時代のオランだったり、あるいはナチス占領下のレジスタンスの拠点としてのオランという意味が出てくるから、意味の限定を避けるために＊を入れているのでしょう。この操作によって、今もなお寓意的に、多義的に読める小説になったとも言えます。

『ペスト』の一一ページの二行アキの次から読んでください。

「四月十六日の朝、医師ベルナール・リウーは、診療室から出かけようとして、階段口のまんなかで一匹の死んだ鼠につまずいた。咄嗟に、気にもとめず押しのけて、階段を降りた。しかし、通りまで出て、その鼠がふだんいそうもない場所にいたという考えがふと浮び、引っ返して門番に注意した。ミッシェル老人の反発にぶつかって、自分の発見に異様なもののあることが一層はっきり感じられた。この死んだ鼠の存在は、彼にはただ奇妙に思われただけであるが、それが門番にとっては、まさに醜聞となるものであった。もっとも、門番の論旨ははっきりしたものであった――この建物には鼠はいないのである。医師が、二階の階段口に一匹、しかも多分死んだやつらしいのがいたといくら断言しても、ミッシェル氏の確信はびくともしなかった。この建物には鼠はいない。だからそいつは外からもってきたものに違いない。要するに、いたずらなのだ。

同じ日の夕方、ベルナール・リウーは、アパートの玄関に立って、自分のところへ上って行く前に部屋の鍵を捜していたが、そのとき、廊下の暗い奥から、足もとのよろよろして、毛のぬれた、大きな鼠が現われるのを見た。鼠は立ち止り、ちょっと体の平均をとろうとする様子だったが、急に医師のほうへ駆け出し、また立ち止り、小さなき声をたてながらきりきり舞いをし、最後に半ば開いた唇から血を吐いて倒れた。医師はいっときその姿をながめて自分の部屋へ上った。」

ペストが蔓延する発端が描かれていますね。

ここで、「死んだ鼠がいた」という特殊な事例を告げられても、門番は「いたずらだ」と言う。カネコさん、これは危機管理においてはどういうことになる？

カネコさん　正常性バイアス。

そうです。すなわち、何かが起きてもいつもと同じで、そんなに変わったことではないと思おうとする。この正常性バイアスがかかると、例えば津波なんかの時はどういう問題を起こすだろう？

カネコさん　逃げ遅れとか？

そう、逃げ遅れとかだよね。『ペスト』でまず描かれているのは、まさにそんな正常性バイアスです。この『ペスト』はリーダブルな小説だから、ホブズボームの『20世紀の歴史』みたいに輪読して細かな解説をつけていくことをせず、ざっくり私の読み方を説明するだけにしておきましょう。あとはみなさん各自で読んでみてください。ただし、一点だけ深掘りしたいところがあります。そのポイントについては、あとで詳しく読んでみたいと思います。

物語はこの後、県の知事から電報が届いて、オランはペストのせいで封鎖を宣言されます。これによって事態のフェーズが変わるんだよね。新型コロナウイルスの騒ぎで言えば、不要不急の外出の自粛要請が安倍首相（当時）や地方自治体の首長からなされてきたのが、四月七日になって、首相によって緊急事態宣言が発出されました。日本の場合は都市封鎖を可能にする法体系はないけども、あの宣言が『ペスト』のこの電報に当たるわけです。やはり単なる自粛要請とは違って、人びとに疑心暗鬼のような不安が広がったり、あるいは正常性バイアスが生じたりしましたよね。

『ペスト』はちょっとした群像劇になっているんですが、主人公の一人は先ほどの引用にも出てきた医師のベルナール・リウーです。彼はペストの感染の広がりが危機的な状況であることを知事に訴えますが、知事は「総督府の命令を仰ぐことにしましょう」と、自分の責任を回避するために判断を上へ委ねます。リウーが総督府に提出する報告書の作成を依頼されたことや、春の訪れを待って何も変わらない人々の日常生活がここで描かれていきます。

ところがある日、死者の数が膨大に増える。そこで総督府が都市封鎖の布告をするんです。総督府という言葉を使っているのは、この作品の舞台がフランス本国ではなくて、植民地だからですよね。植民地だから、普段は当局も「国家としての運営」をあまり考えていない。

それが突如、国家的な運営を求められるわけです。都市封鎖にしろ、その他のもろもろにしろ、自分たちで全て決定しないといけないところへ追い込まれる。

でも一方では、本国から離れた植民地だから、都市のひとつくらい潰れても構わないんだよね。オランなんて、植民地の中のひとつの街にすぎないから、そこ以外に拡大させないように封鎖してしまえ――ということは、このオランは切り捨てられた状況になるわけです。カミュはこのあたりをうまく描いていますよ。

つまり、大戦中のヨーロッパで幾つも見られたナチスによって占領された地域や、最近の日本だったら、東日本大震災の時の原発事故で切り捨てられた地域、あるいは基地問題で切り捨てられた沖縄の地域などとアナロジカルに読めるのです。

小説ではこの後、いろんな方法でペストに対処していこうとしますが、基本的には隔離政策を採るんです。少しでも兆候が出てくれば隔離されて、家族とも会えないで死んでいく。こういう政策の中心になっているのは、医者とか科学者とか、いわゆる専門家といわれる人たちです。

死の軽さ

今回のコロナ政策に関して、こういった専門家指導体制は危ないんだよ、という指摘をしているのが金沢大学教授の仲正昌樹《なかまさまさき》さんです。

仲正さんは非常にユニークな経歴を持つ学者で、ご本人が『Nの肖像』（双風舎）という本で書いていますが、東京大学に入学した直後に世界基督教統一神霊協会のメンバーになり、

「世界日報」に就職した経験も持っているんですね。その本では、統一教会の内部がどうなっているか、メンバーの活動はどんなものかを詳しく書いています。彼は一〇年ほどで統一教会を離れたんだけれども、必ずしもゴリゴリの反統一教会ということではなく、ある閉ざされた組織や空間の中で何があったかを客観的に書いている。

私は彼の哲学関係の本を大いに評価していて、能力としては東大の先生として戻ってくる十分な力のある学者だと思いますが、やっぱり彼のどんな経歴への偏見がどこかにあって、メインストリームに入ってこないのかもしれません。しかし視点には非常に鋭いところがあります。

その仲正さんが四月五日の「朝日新聞デジタル」でこんなことを言っていました。記者の「国民の安全・安心を第一に考えれば、一定の「監視・管理」は避けられない気もしますが」という問いかけに、

「気を付けるべきは、対応策がエスカレートすることです。私たちは健康の話となると、「イデオロギーの問題ではない。科学の話だ」となり、政府が進める公衆衛生政策をさほど抵抗なく受け入れがちです。つまり、価値中立のように思ってしまう。外交・安保といった、いかにもイデオロギーが絡みそうな政策に比べ、人々は権力に統治されやすくなる。そのことは、今回の改正新型インフルエンザ等対策特別措置法の成立にも表れたと思います。この特措法が国会でどのように成立したか思い出して下さい」

そして記者が「立憲民主党など野党も軒並み賛成し、反対は共産党、れいわ新選組などに限られました」と言うと、

「立憲などは「物分かり」が良すぎたのではないでしょうか。というか、もう少し抵抗するだろうと私は思っていたので、あっさり賛成に回ったのは意外でした。5年前の安保法制のときの国会はどうでしょう。衆参両院で審議時間は計200時間以上に達し、安保法制反対派は「それでもまだ審議時間が足りない」と言っていたのですよ。なのに今回、私権制限などに関わる重要論点もあるのに、わずか3日で成立しました。この違いは大きすぎます。オーストリアの哲学者イバン・イリッチが論じていますが、現代人の特徴として、人々は健康に過敏に反応し、権力の浸透を招きやすいとも言えます。前近代人は戦争や病死が日常茶飯事だったため、人の死が身近にあった。ところが現代は、医療技術の発達と長続きする平和のおかげで、死への文化的・社会的な免疫が落ちている。立ち止まって自省することが出来ないのかもしれません」

これは、さっき私が言った「命の値段」とも重なるけど、非常に重要な指摘ですね。『ペスト』が描いているのは、時代設定を曖昧にしているとはいえ、第二次世界大戦前後でしょう？　周りには戦争による死がたくさんあった。死というものが身近にあるから、死は何としても阻止しないといけないものだという感覚は薄いよね。それを『ペスト』を読んでいると強く感じるんです。主人公のリウーは医師だから、あくまでも疫病と闘っていくんだ

という姿勢ですが、「仕方がないことなんだ」という諦念のような形で死を受け入れていく人たちもいる。これ、対象はペストだけじゃないんだよね。当時すぐそこにあった戦争やファシズム、ナチズムの問題も絡んでいたわけです。

例えば新型コロナウイルスに対する各国政府の対応などに関しても、『ペスト』の七八ページにこんな記述があります。

「一方、医者の診断があった場合は、家族のものはこれを義務的に申告し、その病人を市立病院の特別病室に隔離することに同意しなければならないことになっていた。これらの病室は、それにまた、最小限度の期間内に最大限度の治癒の機会をもって患者を看護できるよう設備されているのであった。幾つかの付記条項では、病人の部屋と運搬の車とに強制的な消毒の義務が課されていた。その他の点については、近親者に衛生上の警戒を守るよう勧告するにとどめてあった。」

これは今回の新型コロナウイルス対策で、日本を含めて各国が採った措置と極めて似ていますよね。しかし、その実態ってどういうものだったんだろうか？　同じく九一ページにはこうあります。

「施行された措置は不十分なもので、それはもう明瞭《めいりょう》なことであった。例の「特別に設備された病室」に至っては、彼はその実状を知っていた——二つの分館病棟から大急ぎでほかの患者たちを移転させ、その窓を密閉し、その周囲に伝染病隔離の遮断線を設けたものである。流行病のほうで自然に終息するようなことがないかぎり、施政当局が考えているぐらいの措置では、とうていそれにうち勝つことはできないであろう。」

七〇年以上前に書かれた小説にあるのと、いま各国政府がやっている方針は基本的に同じであることがわかります。実際のところ、まだワクチンもない、確立した治療法もない。そうすると、いずれこの感染症の流行は終わるから、それまで患者たちを隔離しとけばいい、死ぬにまかせておけばいい――そんな発想ですよね。これはオブラートに包んでいるけど怖いことで、人間は危機的な状況にくると無意識のうちに命の選別をしてしまう、ってことですよ。

神義論で読む

ここで少し深掘りをしてみましょう。

私の専門の神学の考え方からすると、この『ペスト』は神義論をテーマにしているように読めます。神義論は「神様を弁護する」から弁神論とも呼ばれますが、一八世紀にライプニッツが考えた概念です。この地上には確かに悪は存在するけれども、それについては「神には責任がない」ことを説明する、というものです。

なぜ近代になってからこういう問題が出てきたかというと、古代や中世においては、神が正しいことは自明のことだったからですね。例えば、どんな災害が起きたとしても、神学的には問題が生じませんでした。ちょっと日本人には分かりにくい感覚ですが、キリスト教の考え方では、人間は原罪を持ちます。罪は悪になります。だから、誰一人として原罪から免れていないこの世界においては、悪が存在することは自然なことなのです。

別の側面から言えば、理想的な状態は死後の世界である天国にしかない。この世が悪ければ悪いほど、早くこの世から脱け出て、神の国である天国へ行くんだという発想になるのだから、この世の悪いことに対しては神に責任はないのです。これが中世までの考え方です。

そこへ「本当にないのか？」と疑問が生まれたのは、近代的な啓蒙思想が誕生して、合理的に物事を考えるようになったからです。それに対して、「いや、やはり神に責任はないんだ」と主張したのが神義論なんです。

伝統的に、悪は三つに分かれるんですよ。まず、形而上的な悪――例えば、必ず死ぬ運命とか、人間の有限性とかを指します。これは形而上的な議論で、神に責任のないことがわりと簡単に処理できます。二番目に道徳的な悪というのもあって、これは人間が引き起こす悪のこと。その人間個人を矯正すればいい、ということでカタがつく。

面倒くさいのは三番目の自然悪、自然に内在している悪です。まさにペストや新型コロナウイルスや津波や地震などのことです。自然を創ったのは神だから、新型コロナウイルスだって神が創り出したものだろう。しかし、これだけ人間を苦しめているのだから新型コロナウイルスは悪に違いない。悪を創り出すのは神じゃなくて、悪魔じゃないか。そうすると、自然を創ったのは――と、そんな話にもなるから、神義論をやる時にいちばんややこしいのは自然悪の問題なんですね。これは、そもそも神がいなければ、神の悪に対する責任があるかどうかなんて問題はなくなる——となって、無神論にも近づくわけです。

ペスト禍の前で神父は

日本における『ペスト』への解釈で物足りないのは、まさに神義論を押さえていないから、主要な登場人物であるパヌルー神父に関する解釈がものすごく弱いことなんです。

最初のうち神父は、古代のキリスト教徒たちにペストで死ぬことが流行った時代があった、彼らは死ぬことを救いであり解放であると考えていたのだ（いま言ったように、理想的な状態は天国にしかないわけですからね）、今回のペストにも神様の与えた特別な意味があるのだから受け入れるべきだ、と主張していました。

それが、だんだんペストと闘うリウー医師の考え方に同意するようになってきて、純真な子どもをも死に至らしめるペストに神の意思があるわけはない、というふうに考えが変わり、やがてパヌルー神父もペストで死んでいく。これはつまり、最終的に神父は信仰を捨てたのだ、無神論者になったのだ——そんな解釈が日本ではまかり通っているのですが、この解釈は間違えていると私は思います。

つまりパヌルー神父は、「ペストで死ぬことは救済に繋がる」と解釈するのをやめて、神の意図は分からないまま放置し、そのまま受け入れないといけないんだ、という発想に変わったわけです。これは無神論では決してなく、典型的なプロテスタンティズムなんですよ。つまり、パヌルー神父は神の捉え方において、カトリックからプロテスタントへ改宗しようとしている。ここのところが今までの文芸批評家はみんな読めていません。

ここの解読は長くなるので、とりあえずここまでにしておきます。今日中にホブズボームの第一次世界大戦のところを読み終わっておきたいからね。明日、『ペスト』のこの部分、思想的にいちばん重要な部分を詳しく読みましょう。

予告編として、あと少しだけ読もうか。子どもまでがペストで苦しんで死ぬのを目の当たりにして、パヌルー神父は悩みます。彼は、苦しんでも天国に行けるのだから永遠の喜びが待っている、とは言えなくなる。新潮文庫の三三一ページを開けてみて下さい。

「そもそも永遠の喜びが、一瞬の人間の苦痛を償いうると、誰が断言しうるであろうか？そんなことをいうものは、その五体にも霊魂にも苦痛を味わいたもうた主に仕える、キリスト者とは断じていえないであろう。否、神父は壁際に追い詰められたまま、十字架によって象徴されるあの八裂きの苦しみを忠実に身に体《てい》して、子供の苦痛にまともに向い合っているであろう。そして、彼はこの日、自分の話を聞いている人々に向って、恐れるところなく、こういうであろう——「皆さん。その時期《とき》は来ました。すべてを信ずるか、さもなければすべてを否定するかであります。そして、私どものなかで、いったい誰が、すべてを否定することを、あえてなしうるでしょう？」

リウーが、神父は異端とすれすれのところまで行っていると、考える暇もほとんどないうちに、神父は早くも力強く言葉を続けて、この命令、この無条件の要求こそ、キリスト者の恵まれた点である、と断言した。」

リウーは「神父は異端とすれすれのところまで行っている」と考えますが、このパヌルー神父の説教はカトリックから見ると、「すれすれ」ではなく、はっきり異端的ですよ。ただし、プロテスタントから見ると、ものすごくまっとうな発想になるのです。

キリスト教は本質的に人間の知性を信用していません。だけれど、カトリックの場合は、知性と信仰は調和すると考えます。プロテスタントは、そういう試みを放棄して全てを信ずるか、さもなければ全てを否定するか――こういうふうに考えるのです。

だからパヌルー神父は、ペストの蔓延という極限状況で、実質上カトリックからプロテスタントに転向しています。この神父はやがてペストで死ぬわけですが、カトリックにおいては異端としてであれ、あくまで神を信じるという姿勢を崩さないまま死んだわけですから、殉教なんですよ。ペストみたいな分からないことに直面した場合は、分かるぎりぎりのところまでは努力するけれど、その先までは解釈したり意味づけをしたりしない。そして最終的には、神がいるんだとか、仏がいるんだとか、そういう超越的なものを信じるのか信じないのかになるんだ、ということをカミュはここで言っています。

宗教の時代がやってくる

なぜ、こういう宗教の本質について皆さんに話しているかというと、実際に何かを信仰するしないはともかくとして、これから広い意味での宗教の時代になってくると思うからなんですよ。

外出や他人との接触を自粛するよう要請された結果、人間の関心は外側へ向かうのが物理的に制限され、必然的に内面に向かっていきます。もっと平たい言葉で言えば、「本当の幸せって何なんだろうか?」「仕事の中での自己実現って何を意味してるのだろうか?」「死とはどういう意味を持っているんだろう?」、あるいは、家にいて始終夫婦や親子で顔を合わせていると、「パートナーって自分にとってどういう意味があるの?」「自分の子どもになんでこんなにイライラするんだろう、もう私いっぱいいっぱいだ、そもそも親子って何なんだろう?」。そういったことを考えていく方向に向かうわけだよね。これらは理性だけでは割り切れない疑問です。もしくは、合理的に行動や思考をしても、不条理が生まれてしまうような疑問です。そういうものに付き合わざるをえなくなる。

いま『ペスト』を読むと、末尾の四五七〜四五八ページが面白いと思う。ペストの蔓延が終わった後、リウーが事態を冷ややかに観察していることが書かれてあります。「この記録」というのは『ペスト』はリウーの手記の形を取っているから（誰が書いた手記かは末尾まで伏せられていて、リウーのことも「彼」と呼ばれますが）、『ペスト』という本自体のことを指しています。

「しかし、彼はそれにしてもこの記録が決定的な勝利の記録ではありえないことを知っていた。それはただ、恐怖とその飽くなき武器に対して、やり遂げねばならなかったこと、そしておそらく、すべての人々——聖者たりえず、天災を受けいれることを拒みながら、しかも医者となろうと努めるすべての人々が、彼ら個々自身の分裂にもかかわらず、さらにまたやり遂げねばならなくなるであろうこと、についての証言でありえたにすぎないのである。

事実、市中《まち》から立ち上る喜悦の叫びに耳を傾けながら、リウーはこの喜悦が常に脅やかされていることを思い出していた。なぜなら、彼はこの歓喜する群衆の知らないでいることを知っており、そして書物のなかに読まれうることを知っていたからである——ペスト菌は決して死ぬことも消滅することもないものであり、数十年の間、家具や下着類のなかに眠りつつ生存することができ、部屋や穴倉やトランクやハンカチや反古《ほご》のなかに、しんぼう強く待ち続けていて、そしておそらくはいつか、人間に不幸と教訓をもたらすために、ペストが再びその鼠どもを呼びさまし、どこかの幸福な都市に彼らを死なせに差し向ける日が来るであろうということを。」

ここもみんな、新型コロナウイルスとアナロジカルに読めるでしょう。あのウイルスはどういう意味を持つのか、あるいは意味を持たないのかということも含めて、内面的に考えざるをえないと無意識にでも思っているから、『ペスト』が読まれているんでしょうね。

いまはこうした小説を読むという形に現れているけれども、宗教という形で出てくることは大いにありえると思う。必ずしもそれは既存の宗教である必要はなくて、瞑想とか一種の自己啓発とか、そういう形をとって現れるかもしれませんが、ともあれ宗教的なものへの回路が生まれるんじゃないか。私はそんな問題意識を持っていて、それを皆さんと共有したくて、こんな話をしました。

『ペスト』と『20世紀の歴史』を結びつけると、それは「戦争をどういうふうに総括するか」ということにもなっていきます。戦争の中で死を身近に感じたり、近親者を亡くした人びと、そして戦地には行かないけれど、戦争によって行動を規制された人びと。戦争が終わってから、彼らが否応なく体験させられた戦争というものを内面化していく中で、宗教への一定の回帰が起きていた、と私は見ています。それはいま言った新型コロナウイルスの蔓延に対する宗教への希求とアナロジカルでしょう。

大量破壊戦争と毒ガス

では、『20世紀の歴史』に戻りましょう。上巻六九ページの続き。

「一九一四年以前にすでに物心ついていた者にとって、戦前と戦後の差はあまりにも激しい。そのため、多くの人は――筆者の親世代を含め、いや、中央ヨーロッパの人であれば誰でも――過去との連続性を理解するのを拒んだ。「平和」とは「一九一四年以前」を意味し、その後、平和と呼ぶには相応しくない状況になった。これは無理からぬことだった。一九一四年といえば、過去一世紀にわたって大きな戦争――つまり、大国のすべてもしくは多数が参加する戦争――がなかった時代である。当時の大国、つまり国家間の競争での主要なプレイヤーといえば、ヨーロッパの六強（イギリス、フランス、ロシア、オーストリア＝ハンガリー、一八七一年にドイツに併合された後のプロイセン、統一後のイタリア）と、アメリカ、そして日本である。このプレイヤーのうち二カ国以上が参戦した戦争としては、たった一つクリミア戦争（一八五三―五六年）があり、ロシアと英仏で闘われたが、短いものだった。さらに、それ以前でも、大国を巻き込んだ戦争のほとんどは比較的短期決戦だった。最長のものはアメリカで起きた南北戦争（一八六一—六五年）だが、これは内戦であって国際紛争ではない。戦争は続いても数カ月、あるいは数週間だった（例えば、プロイセンとオーストリアとのあいだの一八六六年の普墺戦争のように）。極東では、一九〇四—〇五年に日本がロシアと闘って勝利、その結果ロシアでの革命が早まったことがあったものの、ヨーロッパでは、一八七一—一九一四年にかけて、大国の軍隊が敵の境界線を越えた戦争は皆無だった。」

第一次世界大戦のインパクトがいかに大きかったかが、よくわかりますね。

ただ、大量破壊戦争ということで言えば、日露戦争は第一次世界大戦を先取りしています。だけど中途半端な先取りというか、二〇三高地にせよ奉天の会戦にせよ、大変な激戦だったのですが、あくまでも日本国外で起きたことだから、国民の皮膚感覚としては戦争の悲惨さをひりひりと味わったわけではなかった。

ところが第一次世界大戦はヨーロッパ全土が戦場になったから、ヨーロッパでは一般市民に至るまで凄まじいインパクトを受けたわけです。その意味で、アメリカ人も本土が戦場になっていないから感覚が違いますね。アメリカ国内における最大の戦争は内戦である南北戦争ですから。

ちょっと先へ飛ばして、七九ページの最後の段落を読みましょう。この前段で、第一次世界大戦は西部戦線でも東部戦線でも膠着状態になってしまうわけです。そこをどうやって打開するか？

「こうした行き詰まりを、双方ともテクノロジーによって打開しようとした。化学をつねに得意としてきたドイツは毒ガスを戦場で用いたが、残忍なわりに効果はなかった。毒ガス使用は、ジュネーヴ議定書（一九二五年）という遺産をのこした。この議定書は、政府が人道上の理由で戦争の遂行手段に強い嫌悪を示したことをあまさず示す唯一の例であり、化学兵器を使わないことを世界が誓った。そして実際に、人道的な思いをもってしても、イタリアが植民地の人々に対して毒ガスを使うのを防ぐことはできなかったものの、第二次世界大戦ではどちらの側も使うことはなかった。どの国も化学兵器の準備を続け、敵がそれを用いることを予測していたにもかかわらず（第二次世界大戦後には、文明を尊重する気持ちが急激に下火になったため、毒ガスはだんだんと再登場した。一九八〇年代のイラン・イラク戦争において、当時欧米諸国が熱狂的に支持していたイラクは、戦闘員のみならず非戦闘員にも毒ガスを大量に使った）。イギリスは、無限軌道装置が付いた装甲車両を他に先駆けて開発した。そのコード・ネーム「タンク」は今でも知られている車両だ。だが、優秀とはほど遠い将校たちには、使い方がわからなかった。同盟国側・連合国側も新しい飛行機を用いたが、まだ故障しやすかった。くわえてドイツ軍は、水素を詰めた葉巻の形をした飛行船で空中爆撃の実験を試みたが、幸いにも大した効果はなかった。空中戦が、とりわけ非戦闘員を恐怖におとしいれる手段として真価を発揮するのは、第二次世界大戦を待たねばならなかった。」

ウメミヤさん、なぜ第二次世界大戦ではどの国も毒ガスを使わなかったんだろう？　例えば日本でも風船爆弾を使っていましたね。陸軍登戸《のぼりと》研究所で開発して、鹿島灘沿岸あたりから飛ばすと北米の西海岸に着くんです。アメリカは「二発しか着いてなかった」と言っていましたが、今では三〇〇発ぐらい着いていることがわかっています。アメリカは風船爆弾対策に結構な金額を投入してもいました。でも、この風船爆弾に毒ガスとか生物兵器を載せる案はあったのだけれど、日本軍は意識的にそれはやらなかった。なぜだと思う？

ウメミヤさん　報復を恐れたからですか。

そう。報復で日本民族が絶滅させられる可能性があったからだよね。毒ガスは比較的簡単に作れるんです。もし一国が毒ガスを使うと、相手側も使う。そうやって絶滅戦になることを恐れたんだね。

ただ、日本は一九四五年八月の時点では、まだ戦争を継続する余力はありました。ドイツみたいに完全に余力をなくして降伏したわけではなかった。四六年まで戦争が続いていたら、毒ガスを風船爆弾に載せた可能性はあると思うんだ。どうしてだと思う？

ウメミヤさん　本土決戦を回避するため？

いや、広島・長崎への原爆投下があったからですよ。極めて残虐な手段で大量の非戦闘員を殺したわけだから、それに相応することをやっても構わないという判断で、毒ガスを入れた風船爆弾を西海岸へ飛ばした可能性はあるんですよね。そうなると今度はアメリカも毒ガスを使うから、これは本当に絶滅戦争になって、日本人がほぼ絶滅させられた可能性もあったわけ。
そういう具合に、毒ガスに関しては一種の恐怖の均衡が第二次世界大戦中は成り立っていたんです。

日本軍の「縦割り行政」

続きを読みましょう。

「テクノロジーを要する兵器のうち、一九一四―一八年のあいだに戦争に大きな影響を与えたのはただ一つ、潜水艦くらいだった。というのは、両軍とも互いの兵士を負かすことができず、民間人を餓死させるやり方に訴えることとなったからである。イギリス側の供給はすべて海上輸送されていたため、潜水艦でどんどん攻撃を仕掛ければイギリス諸島の口を塞ぐのも可能と思われた。」

イギリスの船を攻撃したドイツの潜水艦がUボートですよね。日本の潜水艦は「伊《い》、呂《ろ》、波《は》」に分かれ、伊号潜水艦は大型、呂号が中型、波号が小型なんです。ドイツのUボートは同じ型のやつを大量に造ったんですね。そして、いま読んだように、補給のロジスティックスを破壊することを目的として、Uボートは商船・貨物船を狙った。一方、日本の潜水艦は航空母艦と戦艦、その次に巡洋艦を狙うんです。

これ、なぜだと思う？　点数が高いからなんですよ。潜水艦の戦績表は得点制になっていたんです。航空母艦を沈めると五点だけど、輸送船を沈めても〇・二点とか、点数があった。これは戦闘機もそうでした。みんな点数を上げたいから、どんどん航空母艦などの軍艦を狙っていった。だから、日本の潜水艦は戦闘部隊の一員としては使えるけれど、補給路を崩すという点では使えなかったんだ。

では、日本の輸送船はどうなっていたか？　ソネさん、輸送船はどこが持っていたと思う？

ソネさん　陸軍ですよね。

そう。海軍には輸送船が一隻もなかった。広島市の宇品《うじな》に陸軍の船舶司令部があって、そこがすべての輸送船を管轄していたんです。で、護衛する海防艦などは海軍の管轄なんです。海軍は大艦巨砲主義だから、そもそも護衛艦艇は少なかったし、とりわけ一九四二年からはミッドウェー、ガダルカナルなど消耗が続いて、艦艇が足りなくなって艦隊行動にしか使わなくなった。つまり、輸送船に駆逐艦のようなフネを出さなくなったわけです。そうしたら、輸送船はどうなる？

ソネさん　丸裸です。

だから簡単に沈められちゃうんだよね。困った陸軍は自前で航空母艦を造るんです。ただ、航空母艦と呼ぶと海軍の領域を侵犯してしまうから揚陸艦という名前で拵《こしら》えたんですけどね。おまけに、海軍が陸軍に飛行機も分けてくれないから、揚陸艦という名の航空母艦に載せる飛行機は陸軍が自力開発しました。だから、大日本帝国陸軍は世界で唯一航空母艦を持っていた陸軍なんです。これは現代にも通じる教訓を含んでいて、日本の行政の縦割りというのは、生きるか死ぬかで戦争を遂行している時でさえ、縄張りを守る方が重要なんですよ。

今回の新型コロナウイルスをめぐっては、それがどういうところに出た？　私はダイヤモンド・プリンセス号で端的に現れたと思ってるんです。なんで、あれを厚生労働省の管轄にしちゃったの？　海上保安庁にやらせればよかったんだ。戦後、海上保安庁が出来たのは、一つには朝鮮半島からのコレラの流入を阻止するためでした。だから、あの役所は今でも防疫対策のエキスパートなんですよ。とりわけ、船の中の感染症の管理などには熟練している。あるいは、海上自衛隊に任せてもよかった。海上自衛隊は、海の上で感染症、例えば季節性のインフルエンザが流行したら戦闘能力がなくなってしまうから、船という閉鎖空間での感染症対策は徹底してやってきています。あの人たちもまたエキスパートです。

これは初動で首相に耳打ちをする人がいなかったんだね。誰かが「海上保安庁が船の感染症対策のエキスパートですよ」と耳打ちすれば、海上保安庁主導になって、少なくとも厚生労働省より遥かに上手く処理できたでしょう。

さらに言えば、ダイヤモンド・プリンセス号はどこの船？

ソネさん　えーと、どこか外国――イギリスでしたっけ。

そう、あれはイギリス船なんです。船に関しては旗国《きこく》主義というのがあって、つまり船で起きたことは、原則としてその船が所属している国が全責任を負わないといけない。だから、初動の段階で外務省が在日イギリス大使館に行って、「おまえのところの責任で全部やれ」って言う手もあった。

しかも、あの場合は行政が非常に複雑になっていて、日本の領海内に入ってくるのは入国ですよね。入国の許可を出すのは外務省の管轄なんです。ところが、「船から上陸していいですよ」というのは法務省の管轄になるんですよ。すると、消極的権限争議が起きるわけ。役所間での権限争議は二種類あって、「おいしそうだ、うちに食わせろ」というのが積極的権限争議。それに対して、「これは筋が悪そうだ、うちは触らない」というのが消極的権限争議。ダイヤモンド・プリンセス号に関しては、耳へ入った瞬間に霞が関で消極的権限争議が起きたんですよ。各役所、みんな体を躱《かわ》して、これには触りたくないと。その揚句に、あんな混乱続きになったと私は見ています。

プロパガンダから見た戦史

続きを読みましょう。Uボートがイギリスの輸送船攻撃に成果を挙げていたところ――。

「一九一七年、潜水艦攻撃に対する有効な方策がまだみつかっていなかったため、この作戦はほぼ成功を手中に収めたかにみえた。ところが、大変なことに、アメリカを戦争へ引き込んでしまった。すると今度はイギリスが、ドイツの戦争経済とドイツ人を干上がらせるために、なりふり構わずドイツへの供給を封鎖しようとした。イギリス軍は必要以上に効果的にやった。なぜなら、そもそもドイツの戦争経済は、ドイツ人が誇りにしてきたように効率的・合理的に運営されなくなっていたからだ。第一次・第二次世界大戦でどこよりもずば抜けて秀でていた、あのドイツの軍事組織の面影はなかった。一九一七年以降、もし連合国がアメリカの実質的に無尽蔵な資源に頼ることができなかったら、ドイツ軍の軍隊としての優秀さは、決定的になっていたかもしれない。」

アメリカが第一次世界大戦に参戦するきっかけは、ドイツのUボートがアイルランド沖でイギリス客船、ルシタニア号を撃沈したことでした。大勢のアメリカ人乗客も犠牲になったことから、これは国際法違反だと米英両国がキャンペーンを張って、やがてアメリカの参戦に至ります。

実は、ルシタニア号は武器も載せていたのだから、国際法的に見ると沈められても文句は言えない船なんですが、英米とのプロパガンダ戦争でドイツは負けたとも言えます。

実はこの時のプロパガンダ戦争に日本も巻き込まれていました。これは、池田徳眞《のりざね》さん——鳥取藩池田家の子孫で、クリスチャンで、アメリカ人捕虜を使った対米謀略放送「日の丸アワー」に関わった人——の『プロパガンダ戦史』（中公文庫）に記してあることですが、第一次世界大戦中、ルシタニア号事件を扱った『是《これ》でも武士か』って本が出るんです。中に、ルシタニア号で死んだ子どもたちの悲惨な状況の挿絵も入っている。

これは、ドイツの影響が強かった当時の日本に、「ドイツ人は残虐である」というイメージを宣伝して、ドイツの影響を減らそうというイギリス宣伝本部の工作だというのが池田さんの見方です。しかも、この本の翻訳を誰がやってると思う？　本には訳者名が載っていなかったのを、池田さんが調べると、訳したのはどうやら柳田國男らしい。そして著者名はロバートソン・スコットとなっているけれども、これはおそらく実名ではないだろう。おそらく著者はイギリスの宣伝本部から日本に派遣されてきた人物で、柳田國男と面識を付けて、説得をして、このプロパガンダの本を出させたんだと推測しています。

ルシタニア号の撃沈は、戦時国際法違反ではないのだけれども、ドイツは残虐だという宣伝に使われて、ドイツ敗北の遠因になっていくわけですね。

ちなみに『プロパガンダ戦史』によると、イギリスの宣伝本部がもう一つ使ったのは、死体石鹼という噂でした。ドイツは物資不足が著しいので、人間の死体の脂から石鹼を作っているという噂。そんな事実はなかったのだけれども、全ての石鹼工場を見せるわけにはいかないから、否定しきれない。そして、石鹼は毎日使うもので、毎日使いながら、ドイツの死体石鹼のイメージを思い浮かべさせ、ドイツ人に対する危機意識、嫌悪意識を強めるのに役立った。イギリスのプロパガンダは基本、こういう謀略方式なんだね。

価値観戦争になった

ホブズボームを続けましょう。

「実のところ、ドイツはオーストリアと結んだ同盟が足かせになっていたにもかかわらず、東部戦線では完勝していた。そのためロシアは戦争から革命の渦へ投げ込まれ、一九一七―一八年には、ロシアが有していたヨーロッパの土地の大部分から追い出されてしまった。ドイツ軍は、ブレスト＝リトフスク条約（一九一八年三月）で懲罰的な和平を押し付けるとすぐ、西部に制限なく兵を集められるようになり、実際に西部戦線を破ってパリまで進軍した。連合国側は、アメリカが大量に援軍や武器を送ったために回復したが、危うい状況がしばらく続いた。しかし実のところは、消耗したドイツ軍による最後の一撃であった。負けが近いことを悟っていたのだ。一九一八年に連合国側が進軍を始めるやいなや、二、三週間で決着がついた。同盟国側は敗戦を認めただけでなく、崩壊した。一九一八年の秋には一九一七年のロシアのように、中央・南東ヨーロッパで革命の嵐が吹き荒れた。古い体制がそのまま残った所は、フランスから日本海に至る地域では一つもなかった。英仏がもし負けていたら、政治政体の安定を保ちながらでは敗戦すら乗り切れなかったかもしれない。イタリアであればこれは信憑性があっただろう。信じがたいことだが、戦勝国側の国ですら揺れていたのだ。敗戦国で革命を逃れた国は、一つとしてなかった。

昔の偉大な宰相や外交官は、向上心に燃える外交官たちの範とされていて、タレーランたれ、ビスマルクたれ、と言われるわけだが、こうした人々がもし生き返って第一次世界大戦について意見するとしたら、こういうだろう。戦争によって一九一四年の世界が破壊されてしまう前に、なぜ、賢明な政治家たちはある種の妥協で決着をつける決定を下さなかったのか、と。わたしたちもなぜかを考えなければならない。これまでの革命やイデオロギーと無関係な戦争は、ほとんどの場合、死や完全な消耗に至る争いではなかった。一九一四年、イデオロギーが参戦国を分断したのではなかった。ただし、世論を動員して戦わなければならない場合、すなわち、国内で受け入れられている価値観――ドイツ文化に対するロシアの蛮行、ドイツの専制政治に対するフランス・イギリスの民主主義など――に対する大きな挑戦だと主張して戦わなければならない場合は除く。さらに、ある種の妥協による決着を進めた政治家は、敗戦色が濃くなるにつれて同盟国へ必死にこの手のロビー活動を行ったロシアやオーストリア＝ハンガリー以外にもいた。それではなぜ、連合国・同盟国の大国は第一次世界大戦をゼロサム・ゲームとして、つまり、完全に勝つか負けるかしかない戦争にしたのだろうか？

理由はこうだ。以前の戦争はふつう特定の決まった目的があって開始された。第一次世界大戦はこれらと違って、目的が限定されないままで始まった。」

要するに、総力戦になっちゃったわけです。なぜ？　価値観戦争になったからですよ。今までは、例えば「この土地を取りたい」といった理由で戦争が始まっていた。ということは、その土地を取ったら、あるいは取れないことがわかったら、そこで戦争は終わりになるわけだよね。ところが具体的な目的がなくて、「ドイツ文化を守るため」とか「自由と民主主義を守るため」とか、そんな抽象的な目的になってしまったら、総力戦で相手を殲滅《せんめつ》するまで続いてしまう。

例えば、日本外交でも、ついこの前までは価値観外交を唱えていました。西ヨーロッパとトルコとインドと東南アジア諸国と日本をつないで「自由と繁栄の弧」を作る。そうやってロシアと中国とイランを同時に封じ込めるんだと。これは誇大妄想の封じ込め政策だよね。でも、こういうイデオロギー外交、価値観外交になると、妥協の余地はないわけです。こんな外交を本気でやろうとしていたのは、外務省出身の谷内《やち》正太郎さんが国家安全保障局長だったからです。安倍政権で警察官僚だった北村滋さんが国家安全保障局長になって、外務省の影響が薄れ、価値観外交からリアリズム外交に転じたから、中国やロシアとの関係は急速に改善しました。

では、コバヤシさん、ロシアとの間で懲罰的な講和条約を結び、全精力を西部戦線に向けて攻勢を掛けたドイツ軍はなぜ負けてしまったの？

コバヤシさん　スペイン風邪。

そのとおりです。突撃しなきゃいけない時に、みんな腰が抜けて動けなかったわけです。このあたり、元朝日新聞の編集委員で、環境学で東人教授にもなった石弘之《いしひろゆき》さんの『感染症の世界史』（角川ソフィア文庫）に詳しく書いてあります。スペイン風邪って、今で言うと何？

コバヤシさん　インフルエンザ。

鳥インフルエンザなんです。正確に言えば、鳥由来のA型インフルエンザですね。どうやってそれが分かったかと言えば、当時のアラスカでは死んだ人を凍土の下へ埋めていたんですね。おかげで氷漬けになって体が腐っていないから、十数年前、その遺体から採取したウイルスの鑑定ができた。そしたら、鳥由来のインフルエンザだと明らかになったんです。

コバヤシさん　第一次世界大戦があれだけ広がった原因は結局なんだったんでしょうか？

これは不思議なことに、分かっていないんです。もちろん、きっかけはボスニア・ヘルツェゴビナの州都サラエボでオーストリアの皇太子とその奥さん――なぜ皇太子妃と呼ばないかと言えば、チェコ人で、皇后になる資格を持っていない人だったから――がセルビアの民族主義者によって暗殺されたことですが、各国の同盟関係の複雑な要因があって、そのきっかけだけでは説明できない。なんであの局地戦争があそこまで発展したかは、一種の複雑系を成しているわけです。結論としては、「分からない」なんですね。

第一次世界大戦の終焉と影響

よし、コバヤシさんがいい質問をしてくれたので、ここまでの講義で少し舌足らずになった所を説明して、今日の締め括《くく》りにします。

第一次世界大戦に較べて、第二次世界大戦の原因は分かりやすいんです。ホブズボームもそう言っています。上巻九四ページを見てみましょう。

「第二次世界大戦はなぜ起きたのか？　これに関する歴史学的文献は、第一次世界大戦の原因に関するものと比べられないくらい少ない。それにははっきりとした理由がある。歴史を真剣に学んでいれば、ごくまれな例外をのぞき、ドイツと日本、そして（両国より躊躇していた）イタリアが攻撃を仕掛けたことに疑義を挟む余地はないからだ。この三カ国に対抗する戦争に巻き込まれた国々は、資本主義であろうと社会主義であろうと戦争を欲していなかった。そのほとんどの国は、戦争回避のためにできるだけのことはやった。簡単にいってしまえば、第二次世界大戦は誰によって、何によって引き起こされたのか、という問いの回答は二語で済む。つまり、アドルフ・ヒトラーだ。」

すなわち、ヒトラーという人間がいなかったならば、第二次世界大戦は起きなかったんです。あまりに簡単明瞭だから、開戦の原因についての研究はむしろあまり進んでいないんですよ。それに対して、第一次大戦の開戦原因は非常に複雑です。さっき「分からない」が結論と言いましたが、それではあまりに無責任なので、今のところ有力な仮説を紹介しましょう。二つのアプローチがあります。

一つは経済的なアプローチで、これはいまだにレーニンの理論が有効です。レーニンの『帝国主義論』によれば、資本主義の最高段階として帝国主義が生まれる。つまり、資本が過剰になると――今の日本の資本主義タイプでもそうだけれども――、お金はあるのに、ここへ投資すれば儲かるという場所がなくなってくる。だから、投資する先を植民地獲得に求めていく。しかし、植民地の分割はもう終わってしまったから、再分割しかない。誰かの植民地を取ってくるしかない。そんな形でのゼロサムゲームが起きたのが、第一次世界大戦だったんだ、というわけですね。

そこからレーニンは、「戦争を内乱に転化し、さらに内乱を革命に転化するんだ」という路線を採っていきます。ネットフリックスとかアマゾンプライムには入っていないけど、dTVってドコモ系の動画サービスに結構、ソビエトの初期の映画が入っているんです。中に映画史的にも有名なエイゼンシュテイン監督の『十月』という無声映画もあって、これを観ると当時の雰囲気がよく分かりますよ。ロシア革命がどうして起きてきたか、その背後にある第一次世界大戦が持っていた意味が伝わってきます。

次に、国際関係から説明すると、あの大戦は結局、同盟関係というものの破綻から来ているんです。これは今でもよく考えないといけないことだから、日米同盟を例にしてみましょう。

なぜ北朝鮮が日本へ攻撃してこないのかと言えば、北朝鮮が日本を攻撃すると、自分に対する攻撃と同じだと見なしたアメリカが、ただちに北朝鮮を攻撃してくるからですよね。アメリカは核を持っていますから、北朝鮮は国家として崩壊してしまう。この関係からして、日本へはまず手を出さない。そんな構成になっているんです。

つまり、同盟関係というのは、誰も戦争を始めていない時にはすごい抑止力になるんです。ところが、セルビアの民族主義者が、巨大帝国であるオーストリア＝ハンガリー帝国の皇太子とその奥さんを殺して、当然セルビアが折れると思われていたのだけれど、セルビアは国内事情から折れることができず、戦争を始めた。それでも、「こんな戦争、一〇日か二週間でカタがつく」と、みんな思っていたわけ。つまり、オーストリアがあっという間にセルビアをひねり潰すだろう。

それがそうならなかったのは、セルビアはロシアと同盟関係にあって、ロシアはイギリスとフランスと同盟関係にあったんです。同盟関係にある各国がセルビアを応援するために介入してきたんです。他方、オーストリア＝ハンガリーはドイツと同盟関係にある。だからドイツも入ってきて、いよいよ戦線が拡大していった。何が引き金になったか、もう錯綜に錯綜を重ねて、偶発的な要素もあって、という具合になったのです。

しかも、第一次世界大戦はスペイン風邪もあって、連合国側も同盟国側もくたくたになって、経済的にこの総力戦を支えられなくなったんです。そこで戦争が終わった。だから、ドイツも負けたと思っていないわけなんです。ドイツの主観的な理解としては、「国内の革命勢力が内部から分断してきたので、旗色が悪いところで終わってしまった。あんな共産主義者どもさえいなければ、われわれは勝てていたのに」ぐらいの意識でした。そんな意識がやがてヒトラーを台頭させていきます。

豊饒な思想や文化の時代に

第一次世界大戦が終わった後、国際連盟が作られました。いわゆる国際協調主義ですね。それまでの各国間の同盟関係ではなくて、世界の国々が一つの機構に加盟することによって、話し合いで問題を解決しようという仕組みを作ったわけです。この仕組みは一〇年少ししか持たず、例えば日本の満洲国建国やイタリアのエチオピア侵攻がきっかけになって崩れていくことになります。

では、外交が国際協調主義を目指す一方で、経済、つまり資本主義はどうなったか？　国家独占資本主義体制になったわけ。これはさっきも言ったことですが、ロシア革命みたいなのが起きたら困るから、資本家の好き放題にさせずに社会福祉政策を採っていったのです。

しかし、第一次世界大戦が終わった時に残ったのは、人間の啓蒙的理性は信用できないという意識です。かつてない大量殺戮を見れば、科学技術の発展は人間を必ずしも幸せにしないことが明らかだった。そこから、人間の思想や文化に新しいものがたくさん生まれてくるわけです。例えば芸術の分野だと、キュービズム、シュールレアリスム、ダダイズム、あるいは表現主義などがこの時代の転換で噴出してくる。

数学だったらゲーデルの不完全性定理とか、物理だとハイゼンベルクの量子力学が出てくる。アインシュタインの一般相対性理論が普及していくのも第一次世界大戦後ですね。哲学だったらハイデッガー、ヤスパースの実存哲学、神学だったらカール・バルトの弁証法神学が出てくる。そんな時代の転換期に相応《ふさわ》しい思想が出て来ます。

しかし、第二次大戦後は、基本的にそういった目覚ましい思想や文化といったものは出て来ませんでした。第二次世界大戦は圧倒的なアメリカの物量のもとで日独伊が押されていくプロセスにすぎなかった。だから、あまり深みが出なかったんですよ。

もう一つあるとすれば、「命を賭けても自分たちの体制を守る」というソ連のイデオロギーの強さですが、ソ連でもアメリカの物質的な支援なくしては戦争に勝つことはできなかったのだから、基本はアメリカの大量生産、いわゆるフォーディズム（フォード自動車型のものづくり）の勝利なんです。

アメリカは一八世紀の国ですよ。すなわち、一八世紀の啓蒙主義をそのまま今日まで引っ張っている国だから、第二次世界大戦が育てたものは、いわゆる分析哲学とプラグマティズムくらいでした。

問題は現在われわれが置かれている危機というのが、今日の冒頭に一九三〇年代との類似という話をしたけれども、実はもう少し遡って、第一次世界大戦後の状況にものすごく似ているわけですよ。第二次世界大戦後、辛うじてアメリカの勝利のおかげで残った「啓蒙的理性や科学技術に対する信仰や合理主義などで制度を構築していける」――そんな発想はいよいよ限界に来ていることが新型コロナウイルス禍によって白日のもとに晒されようとしている、と思うんですね。

これを今日の結語としましょう。では、課題を出します。

問4
(1)「歴史の終わり」について説明せよ（二〇〇字程度）。
(2)「歴史の終わり」という作業仮説は正しかったか、それとも間違っていたか。理由とともに記せ（三〇〇字程度）。

問5　第二次世界大戦による損失について説明せよ（二〇〇字程度）。これは、今日読んだ範囲を超えています。『20世紀の歴史』上巻の一〇八〜一〇九ページを参照してください。

〈質疑応答〉

では、今日のところで質問があれば、マイクをオンにして仰ってください。ホブズボームやカミュについて、今日読んでいない範囲のことでも結構です。

ムロタさん　最後のお話にあった、アメリカは一八世紀の国だ、というのを具体的に説明してくださいませんか？

具体例はたくさんありますが、例えばアメリカに行って、「年収は幾ら幾らだ」と言えば、金持ちは尊敬されるでしょう。お金以外の価値をどういうふうに認めるかという点で、アメリカはヨーロッパや日本とだいぶ違います。

まずヨーロッパの思想を簡単に押さえておきましょうか。まず啓蒙主義がある。しかし、啓蒙主義ではうまくいかないぞという形で出てきたのがロマン主義です。人間の情念とか思いとか、理屈では解決できないことを追求したいと。ところが、このロマンは実現しないわけです。そこでロマンはニヒリズムの壁にぶつかる。このニヒリズムの革命としてナチズムが出てくるとか、別の方向から「既成の価値を一切認めない」という形で共産主義が出てくる。そういう系譜があるんです。

アメリカは、ヨーロッパでロマン主義が出てきた時代に西部開拓をやっていたでしょう？　だから、夢はかなうわけ。合理的に構築していけば、自分の目的は実現するんだと。そこからアメリカ独自の哲学が出てきて、これがプラグマティズムです。それがイギリスの分析哲学と結び付いていく。これについては、叢書「岩波講座　現代思想」（岩波書店）の『分析哲学とプラグマティズム』という巻に詳しく出ています。新自由主義というのはこの延長線上にあるものなんですよ。ですから、アメリカが一八世紀の国である具体例はまさに新自由主義である、ということがこの本を読めば理解できると思います。

西部開拓をして、西へ西へと拡がっていくプロセスの中で、アメリカは自分たちの意思と技術力と軍事力によって計画を実現していくというモデルを完成させたんですね。これは一八世紀モデルなんです。南北戦争以降、一応のアメリカ統一が成された後で、思想的な進歩がもう完成しちゃったんですね。あとはそのモデルの枠内だけの話で、ヨーロッパのような思想的な激動はない国なんですよ。

カトウさん　午前中の講義で、政府がコロナ対策を重視するのは「人の命の値段が非常に高くなったからだ」と仰いました。また、「経済的困窮により亡くなる方もいるが、ロックダウンで却って健康になる人もいるので、人命への影響は見方にもよる」というお話もありました。しかし、ステイホームなりが健康に良い影響を与えることを考慮して政策を決めることはないように思います。政府はコロナで国民が亡くなると、イメージ的に政策が悪いせいだと思われるため、経済的困窮には目をつぶって緊急事態宣言を行ったのでしょうか？　あるいは、諸外国の目を考慮する必要があったため、緊急事態宣言を行ったのでしょうか？　本当にコロナは危険だという認識があったのでしょうか？

　私としては、政府が過剰な対応をしたため、今後、社会の経済的な二極化が進むように思えます。コロナへの今回の対応は、「貧困層を切り捨ててでも政府の評判を落としたくない」といった判断でなされたのだとすると、今後の政策や社会の在り方はあまりいい方向に向かわないと思うのですが――。

　これは、全部の要因が複合しているわけです。今回のコロナによる死者数に関しては、例えば山中伸弥さんは「突然爆発的に増える可能性がある」と言っていますね。一方、「文藝春秋」で山中さんの対談相手になった橋下徹さんは「死者数は季節性インフルエンザと同じぐらいじゃないか。大したことないんじゃないか」という説を唱えていました。私がいろんな資料に目を通した限りだと、新型コロナウイルスの人間の命に対する危険性については、そんなに高くないように思えます。

　それから、トッドが言っているように、経済に与える影響という面からしても、シビアな物言いをするとプラスかもしれません。コロナである数の老人世代が亡くなったとしても、労働生産人口に大きな影響を与えないわけだから。

　ただ、こういったことは公の立場にある人は言えないんですよ。なぜならば、現在の先進国における主流の価値観は三つあるんです。生命至上主義、合理主義、そして個人主義です。

この世界観が限界に突き当たったのは、二〇一一年三月一一日の福島原発事故でした。あの時、東京電力のオペレーターは、東京電力という民間会社に勤務しているわけだから、「私はこんな怖い所で仕事はしたくありません。自分の身が危ない。失礼させていただきます」と言って、その場で辞めちゃうこともできたわけです。

あるいは今回の新型コロナウイルス禍だって、医療崩壊が起きる、医師不足になる、と非常に強く言われていたよね。でも、医師でも看護師でも、「こんな危険な場所では働きたくありません。辞めます」と言えば、辞めるのをとめることはできない。ということは、生命至上主義、合理主義、個人主義の下においては、「無限責任を負う仕事」ってなくなるんですよ。無限責任を負う仕事とは何かと言うと、職務の遂行と生命を天秤にかけた場合に、職務の遂行のほうが重要だという仕事です。

表面上は「命は何よりも大切だ」としていても、本質において無限責任を負う仕事ってありますよね。軍人――日本だったら自衛官でしょう。警察官でしょう。海上保安官も消防士もそうでしょう。それから、外交官だってそうですよ。こういう人たちは、自分の職務の遂行のほうが生命より重いと知っているけれども、それを裏付けるような思想が今、ないんですよね。

とにかく国民感情において、生命至上主義は絶対の前提であると。だから、感染症の患者で亡くなる人を一人でも減らしますというのは、交通事故による死者を一人でも減らしますってことと一緒だよね。

では緊急事態宣言で交通量が減ったから、交通事故の死者が減るんじゃないか、その減った交通事故の死者数と新型コロナウイルスの死者を合算したらどうなるかってことは、政府は計算していると思う。しかし、それがどうだというようなことは絶対に言わないよね。あるいは、季節性インフルエンザで亡くなった人の数は、明らかに今年は例年より減っているはずです。みんな、手洗いやうがいを励行してるからですね。これも定量的には出ているでしょうが、まず言わない。

また、経済が大変で、ようやく一部の論者は自粛による経済の悪化と自殺者とをリンケージさせ始めていますが、では政府が「自殺者が増えないようにするために、新型コロナで死ぬ人がある程度増えてもやむをえない」と言えるかというと、絶対に言えない。だから、それぞれを独立したものとして対策を練るしかなくなっている。

もちろん、政府が国民一人ひとりに一〇万円配っても、本当に貧困で苦しんでいる人たちには当座のつなぎにしかならないんだよね。構造的な要因で貧困に落ち込んでいる人が多いわけだから。

それから、中小企業、零細企業、さらに大企業でも、これから大規模なリストラが来るでしょう。そのような経済的に弱い層を生んでしまうのが資本主義システムというものです。でも、当面は資本主義に代替するシステムはないよね。

けれど、そこを放置していると大変な格差になって、社会全体が極めて弱くなり、その結果、経済もどんどん弱くなるんだ――そういう理屈を組み立てて、国民に徹底的に周知させて、現下の状況においては、やはり国が間に入っての再分配をやっていかないといけない、と私は思うんだ。ただ、それによって国家の行政機能が強化されてしまうと、今度はファシズムに近いものになってくる。このへん、とても難しい岐路に立つことになるでしょう。

　理想的には、自助・共助・公助でいう共助――社会において助け合うのが一番いいんです。今日も出た言葉だけれど、コミュニティなりアソシエーションなりで助けられればいい。ところが、今はもう、社会がほぼ崩れてしまっていて、そんな感じにないわけでしょう？　自分の家で苦しいことがあったら、隣の人が助けてくれるかというと、そもそもマンションに住んでいて隣の人の名前も知らない、なんてことも十分ある。昔だったら、醬油がなくなったら、お隣のうちにちょっと借りに行くってことが日常茶飯にあったけど、そんなことはもうないわけです。

　そんなふうに社会がバラバラになっている状況で、共助だ、相互扶助だと言っても、それはちょっと無理だよね。私の本をよく読んでいる人だったら、私がよく例に挙げることをご存じでしょうが、沖縄の久米島といったコミュニティや創価学会といったアソシエーションなど、今なお濃密な共同体に属していれば相互扶助もまだ可能だろうけれども。

　あと、状況の改善のために期待できるとすれば、社会的な力のある層、富裕層が見返りを求めずに、一方的な贈与をすることです。これは少し意味があるかもしれない。例えば数十億円ぐらいのファンド――いや、そんなに大きくなくてもいいんだよ。個人でできるところだけでも、「この学生を」「この子を」と具体的にサポートしてあげる。その学生から何かが具体的に戻ってこなくて構わないけれど、その学生が将来自立して、経済力が付いた場合には、次の世代に何らかの贈与をしていく可能性はあるでしょう。

　これは大学で教えていて気づいたことですが、学生の面倒見がいいとか、一緒に飯をよく食いに行くとか、本を与えるとかしている教師というのは、その人の指導教授がそういうスタイルだったケースが非常に多いんですよ。自分は教師に助けてもらった。いまの自分になるために、すごく意味があった。その恩返しをしようと思ったら、先生たちは亡くなっていたり、むしろ次の世代へ返そうという気になったりで、贈与の連鎖を縦に作っていっています。私はそんな行為が意外と重要だと思っているんです。

取りあえずこんな答えですけど、どうでしょうか？

カトウさん　感動的なエピソードをありがとうございます。ただ、やはりなかなか大変な世の中になるんだろうなあと思いますね……。

近い将来に、ひどく大変な世の中になると思いますよ。企業経営者は、自分の企業を生き残らせるために、かなり大胆なリストラをやらないといけない局面が来るでしょう。そうすると、体力がまだあるうちに、社員がきちんと次の職場へ転職ができるような、あるいは当座の生活のつなぎになるぐらいの退職金の割り増しなんかもきちんとやらないといけない。それだけの体力がある企業が、今、日本にどれぐらいあるのか。特に、中小企業や零細企業は本当に大変だと思う。

アカシさん　ホブズボームの『20世紀の歴史』上巻で、今日読まなかった箇所なんですが……。

どうぞ、いいですよ。

アカシさん　ソ連についてなんですが、四九四ページに「いくら一九八〇年代半ばまでにアメリカより鉄鋼を八〇％、銑鉄を二倍、トラクターを五倍多く生産できるようになったといっても、シリコンとソフトウェアを基盤とする経済にソ連が適応できなかった以上、何の助けになるというのか」とあります。そして五三二ページには、「技術革新は社会主義経済の国では盛んではなかった」とあります。

社会主義経済は、社会主義経済であるがゆえに、こういったインフラを根底から覆していくような技術革新が生まれにくかった、ということは言えますでしょうか？

技術革新が生まれにくい、ということは言えると思います。そもそも、技術革新がどうして起きるかと言えば、恐慌期にまず資本が過剰になる。いくら投資しても儲からない状態になるわけです。儲からないのならば、同じものをより安く作るしかない、となって技術革新が起きるんですね。ソビエト体制においては、労働力が商品化されておらず、恐慌も起きないわけだから、技術革新のきっかけになる社会的な状況がないわけですよ。

もっとも、人間の英知を信頼して、人間がより良いものを構築していく、という考え方の中での技術革新はあるんです。目的意識的に発展させるような、ロケットみたいな技術はものすごく発展しました。でも、消費財など、何となく便利で快適だみたいな技術革新はなかったんですね。
ソフトウェアにどうして弱いかと言えば、ソフトウェアって集合知でできているわけでしょう？　ソビエトにおいては情報の自由化が成されてなかったから、弱かったんですよ。コピー機だって持てないし、お互いの連絡を取るにしてもファックスも持てないし、電話は盗聴されている。そういう環境の中では、なかなか自由な技術革新は生まれてこないんですね。とりわけテクノロジーが民間から生まれるような体制にできなかった、というのがあの国の最大の問題でしたね。

アカシさん　やはり、こういった計画経済というのは、国自体が貧困で、荒廃しているような場合は非常に力を発揮するけれども、さらにその上の豊かさを追求していくシステムには、あまりなじまないということでしょうか。

おっしゃるとおりです。これは韓国の例を見てみれば分かります。「漢江《ハンガン》の奇跡」と言われた頃、朴正熙《パクチョンヒ》大統領の時代には本当に開発独裁的な方法が行われたわけですよ。それは、あるところまではうまくいったけれども、ある時点からはそんな方法では韓国も伸びていかなくなったんです。ただ、国のサイズもあるかもしれません。シンガポールはいまだに限りなく独裁国家に近いけども、きちんと回っているのは国のサイズが小さいからですよね。だから、大規模な国になると、いわゆる中進国ぐらいまでのところは開発独裁的な手法でいけるけれど、その後の発展は非常に難しいんですね。

ハセガワさん　カイロスについてですが、いろいろなカイロスがあると思うんです。日本人としてのカイロスとか、自分個人としてのカイロスとか。例えば、日韓併合は、韓国にとっても日本にとってもカイロスでしょうが、正直、私個人にとってはカイロスではないわけですね。

ええ、そうでしょうね。

ハセガワさん　ただ、韓国人と付き合う場合、この問題は無視することができないと思います。日本がやったことは悪かったとも思います。「私個人がやったわけではないし、私はその問題に特段関心はない」という態度を取ることは、ちょっと誠実さに欠ける気がするんですが、どうなんでしょうか？

直近の変化などには自分は関心あるけれども、それ以外は関係ないでしょうという態度は微分法の発想になるわけですね。ただ、国家間関係というのは、積分の要素が大きい。すると、われわれの祖先がやったことに対しても歴史的な責任を負わないといけないんだ、となるけれど、それは何でも謝ればいいという話でもないんですね。

和田春樹さんの『韓国併合　110年後の真実』という岩波ブックレットがありますが、これはすごくよく整理されています。要するに、日韓併合というのは、日韓併合条約が結ばれているけれども、合意ではなく、強制併合と一緒なんだと。併合条約ができた時点で、韓国は保護国だから外交権がないんですよね。外交権がない国は、他国との間に条約を結べない。だから、形式的な併合にすぎなくて、実質は植民地的な形で一方的に乗っ取ったんだと。結構これは国際法的に説得力ある議論ではあるんですね。

ただ、そういう流れを作ったのは韓国の中の親日派たちであったのも事実です。そういう歴史を、きちんと冷静に、閉ざされた扉の中で議論していくのが非常に重要なんです。韓国人たちもよく分かっているんだけれど、個人でなく公の場で発言するとなると、どうしてもステレオタイプになってしまいますね。

日韓併合はカイロスなんだけども、日本と韓国では持つ意味が違いますよね？

ハセガワさん　そうですね。

例えば、一六〇〇年の関ヶ原の戦いは、日本にとってはカイロスでしょう。しかし、ドイツにとっては関係がない。一六四八年のウェストファリア条約は、ドイツにとってはカイロスで、実は日本にとってもカイロスなんです。なぜかと言うと、あそこでネーションステート的な体制ができてきたから。近代の主権国家の体制ができてきて、国際法ができるわけです。ウェストファリア条約がなければ、日本は開国を迫られなかったでしょう。

あと、私が失恋した日もカイロスだけれど、私の主観や意思とは関係なく、二〇一一年三月一一日は東日本大震災が起きた日だから、やはりカイロスになりますよね。個人のカイロス、国家や共同体のカイロスが複雑に結び付く。しかも、そのカイロスごとの意味は立場によって、みんな少しずつズレがある。それをつなぎ合わせることで歴史はできるし、個人の物語もできるわけですよね。むしろ、公私の歴史と物語でタピストリーを織ってできているのが「本当の歴史」というものだと私は思っているんです。

ハセガワさん　分かりました。自分としてのカイロスと、あと客観的なカイロスを整理しながら自分の考え方をまとめていく、ということでしょうか。

そうですね。例えば所属する会社のカイロスとか、一緒に暮らしている方のカイロスもあって、非常に複雑に絡み合っていますよね。

では、時間も過ぎたので今日はこのへんにしておきましょう。明日はまた『20世紀の歴史』を読むわけですが、『ペスト』についても再び触れますので、まだ通読されてない方は最後まで読んでおいてください。リーダブルで面白い小説ですよ。

Ⅲ　ゼロからわかるカミュ『ペスト』

資本主義、民主主義、自由主義

おはようございます。昨日の疲れは残っていませんか？　『ペスト』は読まれましたか？　頭からおしまいまでずっと、新型コロナウイルス禍にある現在とアナロジカルに読めていくから面白かったでしょう。売れているのは、よくわかりますよね。

でも『ペスト』に入る前に、まず今日全体の講義の前提として、資本主義と民主主義の関係について話しておきましょう。

昨日の冒頭でも触れたことで、フランス革命には「自由、平等、友愛」という原理がありますが、資本主義は「自由」と結びつきやすいんですね。自由が資本主義と結びつくとどうなるかと言えば、格差が広がっていくわけです。

民主主義はデモクラシーというでしょ？　この意味はデモス＝民衆が支配すること、逆に言えば特権階級を否定することです。これは無論、「平等」と結びつきやすい。そこで、「友愛」という原理によって、「自由」と「平等」の間のバランスを適宜取っていくのですが、このバランスは常に振り子のように揺れるのです。

例えば過去三〇年ほどは――ソ連崩壊前後、一九八〇年代の終わりから、極端に言うと今回の新型コロナウイルスの騒動が起きてくるまでの約三〇年間は、自由のほうに振り子が揺れていたんです。基本的には、新自由主義の時代ですよ。それに対して、少なくとも今現在は、振り子は平等のほうに揺れている。だって、一律一〇万円を国民に所得と関係なしに配るというのは、平等の発想ですよね。

平等は民主主義と結びつきやすいと言ったけれども、ここで言う民主主義は日本型の民主主義のことです。いや、日本もアメリカもドイツも少しずつ違いはあるけど、本質的にはそんなに違いません。

だけど、例えば朝鮮民主主義人民共和国だって「民主主義」を謳っているわけだよね。これはわれわれの民主主義とはかなり違うけれども、それでも民主主義なんだ。あるいは、コンゴ民主共和国というのもある。かつてはドイツ民主共和国（東ドイツ）もありました。これらもある種の民主主義形態なんですよ。要は「民意をどういうふうに代表するか」という考え方の違いから、形態の違いが生じてくるわけです。ドイツ民主共和国や朝鮮民主主義人民共和国は、人民民主主義 People's Democracy という言い方をしています。つまり、ブルジョワ民主主義とは違って、勤労者、大衆による民主主義だと主張している。

この人民民主主義については、ハンガリーから亡命してフランスで活躍した政治学者フランソワ・フェイトの『スターリン時代の東欧』『スターリン以後の東欧』（共に岩波現代選書）が詳しいので、興味のある方は覗いてみて下さい。

ちなみに今、新しい日常（ニュー・ノーマル）なんて言われてるでしょう？　これはつまり「統制強化」のことを指していますよ。チェコスロバキアで一九六八年に起きた「プラハの春」の後、正常化ということが盛んに言われたわけ。チェコ語で言うとnormalizace、英語で言うとnormalization、あの正常化に近いニュアンスが今言われているように思います。これもやはりフェイトの『スターリン以後の東欧』を読めば、現状をアナロジカルに理解できると思います。

では、ウチコシさんにちょっと伺います。聞こえてますか？

ウチコシさん　はい、大丈夫です。

独裁制ってありますね？　例えば北朝鮮の金正恩《キムジョンウン》さんみたいに、一人の人が全部決めてしまうという体制。ああいう独裁制と自由主義は共存できると思いますか？

ウチコシさん　できないと思いますが……。

できないよね。では独裁制と民主主義は共存できる？

ウチコシさん　独裁者が「わが国は民主主義だ」と言い張ることはできると思いますが、選挙で民意を示すとか何とか、民主主義の本来からすると、よほど独裁者のプロパガンダが成功しなければ民主主義とは謳えないと思います。

なるほど。では、ここでちょっと思考の実験をしてみましょう。今、人口が一億二〇〇〇万人いる某国に四〇〇人の国会議員がいるとします。つまり、一億二〇〇〇万人の人たちの利益を四〇〇人が代表しているわけですよね。これは民主主義ですよね。

ウチコシさん　そうですね。民主主義国家の感じですね。

国会議員を削減して、三九九人にしたら民意を代表してないと言えるでしょうか。

ウチコシさん　民意を代表していると言えると思います。

では、今度は三五〇人にしたらどうでしょうか?

ウチコシさん　その人たちが民主的な選挙の下で選ばれた方々だったら――。

もちろん、今の選挙制度で選ばれているんです。

ウチコシさん　一応、それも民主主義だとみんな思えるんじゃないでしょうか。

国会議員が一〇〇人になったら？

ウチコシさん　明治の帝国議会の頃でも、もっと多かったんじゃないですかね……（注・最初期で議員数は三〇〇人）。

さらに一〇人になったとしたら？　最終的には一人になったら？　しかもこれは民主的な手続きを踏まえた選挙による委任を経ているとすれば――？

ウチコシさん　そうですね。どんどん絞っていくと――。

この理屈は、ドイツの政治学者カール・シュミットが『大統領の独裁』（未來社）の中で書いているんです。カール・シュミットはナチスの初期の理論家で、すなわち「独裁制と民主主義は矛盾しない」という考え方なんですね。確かに、原理的には矛盾しないんですよ。今の日本の常識的な理解では、独裁と民主主義を対立概念と捉えていますが、独裁と対立するのは自由なんです。

自由というのは、「私がやることをほっといてくれ」ということですよね。それは独裁者が私の自由に触れるならば、自由のために独裁者と闘う、ということになる。しかし、民主主義は、民意の選び方によっては独裁を導いてしまう可能性があることは、やっぱり忘れたらいけない。

ウチコシさん　よく言われることですが、ヒトラーも民意で選ばれてきたんですよね。

そう。彼は直接選挙ではないけれど、結局、ドイツ国民に選ばれて政権を奪取したわけです。

みなさん、こういう思考実験というのはすごく重要で、独裁はデモクラシーと矛盾しないことが分かりますよね。民主的な手続きを経て独裁制が出てくることは原理的に可能なんです。

あと、われわれが持っている代議制民主主義は、どうしても意見の決定に時間がかかるでしょう？　代議制民主主義は政党が支えている。政党はポリティカル・パーティーですよね。パーティーと呼ばれるのは、パート労働が「部分」であるのと同じで、政党というのは「部分の代表」なんですね。特定の階級とか、特定の利益集団といった個別的な集団の利益を代表しているんですね。全体の利益ではないんです。社会に対立がある以上、「全体の利益」というものは、実は一種のフィクションなわけです。

立場の違う集団を代表する政党が、自分たちの代表を国会へ出して、議論を尽くし、物事を決め、限りのある予算を配分していく、というのが代議制民主主義ですよね。

では、ナカムラさん、こういう代議制民主主義は、どこに欠点があると思います？

ナカムラさん　時間がかかることと、あとは、やっぱり特定の利益集団の利益が優先されることでしょうか。

そうですね。その利益集団が愚かだったり、数として社会のごく一部に過ぎなかったとしても、議会における代表の数が多ければ、その意見が通っちゃうよね。この対極にあるのは、官僚制ですよ。メリット・システム（資格任用制）のもとで、資格試験に通った専門家が「全体にとって善かれ」ということを国民の委任とは関係なしにやっていく体制です。独裁制では必ず独裁者が統《す》べている官僚群がいるので、独裁制は必ず官僚制になるんです。

ポピュリズムと民主主義の違い

もうひとつ、いわゆるポピュリズムと民主主義って、どこが違うのかしら？

ナカムラさん　行政なり、政治家なりのプロパガンダによって、自分の意見を右に左に変えるのがポピュリズムで、そうやって扇動された大衆の支持、それも短期的な支持によって選ばれた政治家による政治のことでしょうか。

その説明だと、今の日本で行われている選挙とどこが違いますか？

ナカムラさん　違わないと思います。

となると、今、日本はポピュリズム政治なのかしら？

ナカムラさん　個人的には、そういう感じがするのですが……。

ポピュリズムに明確な定義はないんです。今、ナカムラさんが仰ったような技法がポピュリズムではよく見られるけれども、ポピュリズムと民主主義を分かつポイントは「意思決定」だと私は思っている。

民主主義では、少数派の見解を最大限尊重します。だから、多数派の見解を強要するってことはしないのです。多数決で決めるとしても、少数意見を付帯意見で入れるとか、少数派への一定の譲歩があって決めるようにする。ところがポピュリストの考え方は、半数プラス一票を取ったら、「勝ったから総取りできる」という発想です。だから、「文句があるんだったら選挙でひっくり返せ」と。こういう発想をしている政治家は誰だろう？　今はもう政治家じゃないけど。

ナカムラさん　ああ、橋下徹さん。

そう、橋下徹さんが典型的なポピュリストですよ。それは彼のオリジナルの発想ではありません。そして、この「一票でも多く取った者が総取りできる」というポピュリズムの発想は新自由主義と相性がいいわけ。ポピュリズムと民主主義の違いは、多数派の独裁を認めるか、少数意見をあくまで尊重する仕組みにするか、という意思決定の差にあるんですね。

アメリカはポピュリズム国家です。大統領選でそれぞれの州の勝者が代表人の数を総取りできるという選挙システムが象徴的ですよ。例えば危機の時代になると、大統領が国家緊急権を持つわけでしょう。大統領という存在は「選挙によって選ばれた王様」って要素があるんです。

裏返して言えば、議院内閣制の国は「選挙によって選ばれた王様」をつくらないことがポイントになっているわけ。内閣はあくまでも議会に対して責任を負うのだから、ポピュリズムにはなりにくいんです。ここはハイブリッド制になっていて、政治家はみんな、ある程度まで選挙区ではポピュリストですよ。政治家は当選することが命で、調子のいいことを言わないと当選しないからね。

でも、日本国憲法で第四十三条に「全国民を代表する選挙された議員」と書いてある通り、国会議員は選挙区の代表ではないんです。選挙区ではポピュリストみたいな顔をしていても、当選したら今度は良識を持って国益、公益のために判断する、というハイブリッド制を持たせているわけですよ。だから、議院内閣制というのは、ポピュリズムによって選ばれたとしても、ポピュリズムがそのまま政治へ反映する形にはならないような構成になっている。大統領制はストレートにポピュリズムを反映します。

ただし、議院内閣制であっても国家の緊急事態になった時には、危機管理のために大統領制へ近づいていきます。だから今回、新型コロナウイルスという状況下で、総理大臣も大統領に近いような機能を果たすようになったわけです。具体的に言えば、行政権の優位ですよ。行政権が、司法、立法に対して優位になっていく傾向がある。これは、ファシズムと極めて親和性が高いんだ。ファシズムについては今日の午後に勉強しましょう。

ナカムラさん　ポピュリズムと民主主義の違いは、「友愛」が入ってるか否かで区別はできるものでしょうか？

できると思います。友愛精神が入るから、多数派の総取りにせず、少数派の意見も取り入れないといけない。これは人事ではっきり分かりますよね。少数派にも委員会の委員を配分するとか、こういう発想が通常の民主主義なんですよ。

ナカムラさん　橋下徹さんなどが出てきたあたりから、あるいは小泉政権ぐらいまで遡るのかもしれませんが、友愛への心配りが薄くなっていった背景は何でしょうか？

私は、それは単純な話で、他人に助けてもらわないで自分の力だけで這いあがった、成功したと思っている人たちは友愛の精神は乏しくなる、と思っています。誰かに助けられたって記憶がないからですよ。人間というのは、自分の体験からなかなか抜け出せないわけです。

ですから、いわゆる底辺から徒《と》手空拳《しゅくうけん》で這い上がってきたタイプの人の中で、「自分は必死に努力してここまで来たんだ、おれのようにできない人は努力が足りないのだ」と考える人がいるんですね。努力に対する対価として報酬がある、報酬がないのは努力しないからだ。こういう考え方をするのは、弁護士とか官僚とか、資格試験によって職に就いた人で、こういう勘違いしてる人って多いんですよ。

まず、資本主義と自由が相性良くて、民主主義と平等が相性いいこと、ポピュリズムと民主主義の違い、ここまでのことを踏まえて、先へ進みましょう。

神父が変貌するまで

では、昨日カミュの『ペスト』に関して話したテーマを、もうちょっと掘り下げたいと思います。

昨日も言ったことの繰り返しにもなりますが、『ペスト』を読む上でものすごく重要だけれども、日本では読みの弱い部分がパヌルー神父の二つの説教の箇所です。

最初の説教は一種のテーゼになっています。その後アンチテーゼとして、リウー医師が無神論について語る場面があって、それを踏まえたジンテーゼとしてパヌルーの第二の説教が出てくる。ここを解説を加えながら、みなさんと読んでいきましょう。

まず、テーゼに当たる第一の説教は新潮文庫版で一三四ページの一二行目からです。

「ところで、この月の末頃、町の教会首脳部は、集団祈祷の週間を催すことによって、彼ら独自の方法でペストと戦うことを決定した。この公の信仰心の表示は、最後に、日曜日に、ペストに襲われた聖者たる聖ロック（訳注　十四世紀のフランスの聖者。中部イタリアでペスト患者の救護に献身した。ペストに対する守護聖者としてあがめられている）の加護にささげられる荘厳なミサをもって終ることになっていた。その際、パヌルー神父が説教者たることを託された。すでに半月も前から、神父は、彼のために会派内で全く別格の地位を獲得させてくれた、聖アウグスチヌスとアフリカ教会に関する研究も抛《なげう》っていた。生来血の気の多い、熱しやすい性《たち》であった彼は、託された使命を決然たる態度で引き受けた。その説教が行われるずっと前からすでに人々の噂に上り、そしてそれはそれらしいかたちで、この期間の歴史に一つの重大な日付を印したのである。」

タケダさん、このパヌルー神父はカトリックの修道会に属していますが、具体的にはどこに属しているの？

タケダさん　イエズス会ですか？

そう、イエズス会なんです。イエズス会というのは教皇直轄の軍隊みたいな組織ですからね。カトリックの精鋭部隊として学術的な訓練も道徳的な訓練も厳しくやって、植民地支配の中心になっていく。

では、ミサって何？

タケダさん　神に対して祈りをささげる儀式くらいのイメージです。

ミサって、要するに礼拝のことです。カトリックでは、ミサに参加すると最後にホスチア——イースト菌の入ってない水と小麦粉だけのパンを口に入れる。これがキリストの体なのです。もちろん信者でない人はそれを食べることができません。ウンベルト・エーコの『プラハの墓地』（東京創元社）という小説を読まれた方もいると思いますが、あの中で、このホスチアを胸にぶら下げた袋にペッと吐き出して溜めている婆さんが出て来ます。なぜ溜めていると思います？

タケダさん　キリストの肉を食べたくないから？

これはね、そのパンは本当にキリストの肉に変わるという実体変質説をカトリックは採っているから、それを集めて所謂《いわゆる》黒ミサなんかで使うんですよ。だから今でも、カトリックの教会では神父が一人一人にホスチアを口に入れた後、ちゃんと食べているかどうか、口を開けさせてチェックするんです。万一、ホスチアを持ち出そうとするのが見つかったら、これはもう大変な騒ぎになる。

ホスチアを体に入れることで救われる、というのは一例ですが、こういう直接的な儀式を大事にするから、カトリックの教会はなかなかオンラインで礼拝できないんですよ。プロテスタントはすぐリモートでやるんだけど、カトリックの場合は信者がミサに集まることが決定的に重要なわけ。

では、続きを読んで下さい。

「祈禱週間には多数の一般人が参加した。これは、平常時においてオランの市民が特に信仰心に厚いというわけではない。たとえば日曜日の朝など、海水浴はミサに対する手ごわい競争相手となっているのである。これはまた、突然の回心が彼らを覚醒させたというわけでもなかった。しかし一方では、町が閉鎖され港は遮断されて海水浴も不可能になっていたのと、また一方では、彼らはまさにはなはだ特殊な精神状態にあり、彼らを襲った驚くべき出来事を心の奥底ではまだ受けいれないでいながらも、何かが変ったということだけは明らかに感じていたのである。それでも多くの人々は、疫病がやがて終息し、自分たちは家族もろとも助かるであろうと、相変らず望みをかけていた。したがって、彼らはまだ何をしなければならぬという必要も感じていなかった。ペストは彼らにとって不愉快な訪問者――元来やって来たものである以上、いつかは立ち去って行くべき訪問者であるにすぎなかった。おびえてはいたが、絶望してはいなかったし、やがてペストが、さながら彼らの生活形態そのものと観じられ、それまで彼らの営みえた生活を忘れてしまうに至ったあの時期は、まだ到来していなかった。要するに、彼らは待望のなかにあったのである。宗教に関しても、他の多くの問題についてと同様、ペストは彼らに一つの奇妙な精神的態度――冷淡からも熱心からも同じくらい遠く、そして「客観的」という言葉でかなりよく定義されうるような態度をとらせた。祈禱週間に参加した大部分の人々は、たとえば、信者の一人が医師リウーの前で口にしたところの「いずれにしても、害はありっこないことですから」という言葉を、そのまま彼らの言葉としたであろう。タルーでさえも、例の手帳に、このような場合シナ人はペストの精霊の前に鼓を奏しに行くということをしるしたあとで、果して事実上、鼓が各種の予防措置よりも有効な効力を発揮するかどうか、それを知ることは絶対に不可能であることを指摘している。彼は単に付記して、この問題を裁断するためには、まずペストの精霊というものの存在について知るところがなければなるまいが、その点に関するわれわれの無知は、人々のいだきうるいっさいの意見を空疎ならしめる、とだけ述べている。」

ここは非常に面白いね。合理的だけども非科学的な思想というものがある、とユルゲン・ハーバーマスが『コミュニケイション的行為の理論』全三巻（未來社）の上巻に書いています。世の中には、合理的だけども非科学的な議論がある。どういうことか？　誰かがインフルエンザにかかった、これはウイルスが発生しているから、どこかで感染したんだろう。これは合理的かつ科学的な議論ですね。これに対して、合理的かつ非科学的な議論というのは、私の娘が熱病になった、どこに魔女がいるのか探そう。これは合理的ではあるんです。熱病は魔女が術をかける、という前提の下ではね。ただ、その前提が間違えているから非科学的なわけです。

『ペスト』のこの部分で言うと、中国ではペストの精霊の前で鼓をたたくんだ、と。この行動は合理的なんだよね。しかし、その前提自体は疑わしい。だけど、キリスト教の祈りも東洋のまじないも一緒じゃないか、そんな視点をここでスーッと入れているんです。

ペスト天譴論
では、次の段落。

「町の中央聖堂は、ともかくも、その週間じゅうほとんど信者の人々でうずめられた。最初二、三日は、まだ多くの市民が車寄せの前に続く棕櫚《しゅろ》と柘榴《ざくろ》の庭にたたずんで、街頭にまで打ち返して来る祈願と祈禱の波に耳を傾けていた。そのうち次第に、お手本を示す者が出て来るにつれて、その同じ聞き手たちも思いきって中にはいり、会衆の追唱に恐る恐る声をまじえるようになった。そして日曜日には、かなりの群衆が陪者席に侵入し、前庭と階段のはしばしにまであふれていた。前夜から空は曇り始め、雨が土砂降りに降っていた。外にいる人々は、かさを広げていた。香《こう》とぬれた布の香が会堂の中に漂い、やがてパヌルー神父が壇に上った。
彼は、背は中背ぐらいであったが、しかしずんぐりしていた。彼が太った両手で壇を締めつけるようにして説教壇の縁に身を乗せかけたとき、人々の目には、なにやら厚ぼったい黒い形の上に、鋼鉄の眼鏡の下の赤味を帯びた頰が、二つの斑点のようにのっかっている姿しか見えなかった。彼は力強い、熱情的な、よくとおる声をもっていたので、彼が「皆さん、あなたがたは禍いのなかにいます。皆さん、それは当然の報いなのであります」と、一語一語、句切るようにして、痛烈な一句をまず会衆にあびせたとき、一陣のざわめきが前庭の方まで会衆の間を走った。」

ではコイケさん、ここで「皆さん、あなたがたは禍いのなかにいます。皆さん、それは当然の報いなのであります」とパヌルー神父が言うのは、どういう発想だろう？

コイケさん　原罪ですか？

原罪という考え方から来てますよね。でも、こういう発想は東洋にもあるものです。日本で言えば「天譴論《てんけんろん》」ですよ。日本の政治家だと、石原慎太郎さんがこういうことを言う人でした。彼は、東日本大震災を日本人に対する天罰だと言って、非常なバッシングを受けた。だけど、実は天災があった時に「これは天罰だ」と考えるのは、保守系の政治家には刷り込まれている概念のはずなんです。元来、皇室は天変地異があると、祈りを非常に重視してきたわけだよね。あるいは、「天皇の徳が足りないから、こんなことが起きたんだ」という刷り込みがあるから、祈りを捧げたり、元号を変えたりしてきたわけでしょう。天譴論というのは日本人にはなじみのある感覚なんです。

キリスト教の場合は「悔い改めろ」と言いますね。われわれの罪がこういう天変地異をもたらしたんだと。だから、ペストのような疫病の場合にも、積極的な意味があるというのが伝統的なカトリシズムの考え方なんですね。

では、そこからパヌルー神父はどういう言葉を続けていくか？

「論理的には、そのあとに続いた言葉はこの悲壮な前置きと一致しないように思われた。演説がさらに進められたとき、ようやく市民たちは、神父が巧みな雄弁術によって、あたかも一撃を加えるもののように、その説教全体にわたる主題をまず一挙に提示したものであることを悟ったのであった。事実、パヌルーはこの言葉にすぐ続けて、エジプトにおけるペストに関する出エジプト記の聖句を引用し、そしてこういった――「この災禍が初めて史上に現われたのはすなわち神の敵《あだ》を打ち砕くためでありました。埃及王《ファラオン》（訳注　モーゼの率いるイスラエル人たちを迫害したエジプト王パロ）は永遠者の御心《みこころ》に逆らっておりましたが、そのときペストが彼を跪かせたのであります。すべての歴史が始まって以来、神の災禍は心おごれる者どもと盲いたる者どもをその足下に跪かせているのであります。よくこのことに思いを致し、みなさん跪いてください」

ここはキリスト教的な文脈を知らないと、よく分からないでしょうね。『旧約聖書』を持っている人は「出エジプト記」を読んでみて下さい。

エジプトでユダヤ人たちは異教徒ということで奴隷になっているわけです。モーセが生まれた時、とにかくユダヤ人の男児は殺せということになっていたけれど、乳母が小舟に乗せて川へ逃がした。それを拾ったのがファラオの娘で……という物語になっているんです。

モーセは成長していく中で、自分がユダヤ人だと知り、同胞をエジプトの地から去らせてくれと言うんだけど、ファラオは許さない。そこでモーセはいろんな奇跡を起こしていくんです。

例えばイナゴを発生させて飢饉を起こしたけれど、それでもファラオは首を縦に振らない。さまざまな奇跡の後で、最後にペストが起きる。これでとうとう、「わかった、お前ら出ていってくれ」と。

こうして、ペストによってエジプトから出ることができて、ユダヤ人たちは約束の地へ行く。もっともモーセ自身は約束の地には行かないで、砂漠をさまよっている間に死んじゃいますが、「ペストによって、われわれは解放されるんだ」という聖書的な根拠があるんですね。パヌルー神父はそこを信者たちに思い出させているわけです。

付け加えると、『ペスト』発表時の一九四〇年代の文脈においては、表面上のペスト流行の物語だけでなく、ナチス・ドイツによって占領されたフランス、ひいてはペストのようなナチスの存在を超えて、われわれは解放を得られたんだという二重のイメージをこの小説に読み取ったと思いますね。

ソドムとゴモラの人々のように

続く段落へ移りましょう。

「外では雨が激しさを増し、静まり返った静寂のなかで発せられたこの最後の一句は、焼絵ガラスにはね返る驟雨の音によって一層深遠なものを帯び、一種特別な調子をもって響き渡ったので、幾人かの聴衆は一瞬ためらったのち、腰掛けから跪台の上へ身をすべらしたほどであった。ほかの人々もその手本に従わねばならぬと思い、その結果、隣から隣へ、幾つかの椅子のきしみ以外にはなんの物音もないなかで、やがて全聴衆が跪いていた。パヌルーはそこで身を起こし、深く息を吸い込み、そしてますます力をこめた調子で語り続けた——「今日、ペストがあなたがたにかかわりをもつようになったとすれば、それはすなわち反省すべき時が来たのであります。心正しき者はそれを恐れることはありえません。しかし邪《よこしま》なる人々は恐れ戦《おのの》くべき理由があるのであります。世界という宏大な穀倉のなかで、仮借なき災厄の殻竿《からざお》は人類の麦を打って、ついにわらが麦粒から離れるまで打ち続けるでありましょう。そこには麦粒よりもさらに多くのわらがあり、選ばれた者よりもさらに多くの召し寄せられる者があるでありましょうが、しかもこの禍いは神の望みたもうたものではないのであります。あまりにも長い間、この世は悪と結んでおりました。あまりにも長い間、神の慈悲の上に安住しておりました。ただ悔悛しさえすればよかった。どんなことでも許されていたのであります。しかも悔悛することにかけては、誰もが自信をもっておりました。いよいよその時が来れば、きっと悔悛が感じられるに違いない。それまでのところ、いちばん楽な道は気の向くままに任せておくことだ。神の慈悲があとのところはいいようにしてくださるだろう。ところがです！　そういうことは長く続きえなかったのです。実に長い間、この町の人々の上にそのあわれみの御顔を臨ませたもうていられた神も、待つことに倦《う》み、永劫の期待を裏切られて、今やその目をそむけたもうたのであります。神の御光を奪われて、私どもは今後長くペストの暗黒のなかに落ちてしまいました！」

キリスト教には「招かれる者は多いが、選ばれる者は少ない」という考え方があるんです。つまり、キリスト教の教会の中へ入ることはできても、必ずしもみんなが救われるわけではないですよ、と。

ここで麦の比喩が出てくるのは、『新約聖書』に「毒麦のたとえ」というのがあるからです。主《あるじ》が麦を植えておいたら、そこに悪魔がやってきて毒麦を植えた。毒麦が生えてきて、良い麦に混ざっている。「毒麦を抜きましょうか」と主に言ったら、「いや、抜かないでいい。今は根が絡まっているから、毒麦を抜くと、良い麦までが抜けてしまう。だから実がなるのを待て」。それで実がなってから、良い麦と毒麦を仕分けして、毒麦を火の中にくべる、というエピソードがあるんです。

これは何を意味する比喩かというと、教会の中にも毒麦はいるんだと。それが分かっていても、すぐに取り去ってはいけない、最後の時になってから分ければいい。だから、パヌルー神父が言っているのは、教会の中の毒麦のような者たちが看過できない状況になったから、神が怒りとしてペストを送ってきたということです。

次はちょっと長く読みましょう。

「聴衆席のほうで誰かまるではやり立つ馬のように鼻を鳴らした。ちょっと間を置いて、神父は前より調子を低めながら、さらに言葉を続けた――「《黄金伝説（訳注　紀元一二六〇年頃ジェノアで編纂された聖者列伝）》を読むと、こういうことがあります――ロンバルジアのフムベルトゥス王（訳注　紀元七世紀のロンバルジア王）の時代、イタリアは実に猛烈なペストに荒され、生きている者が死者を葬るのに、かろうじて足りるほどで、このペストはとくにローマとパヴィア（訳注　イタリア北部、旧ロンバルジア王国の首府）で猛威をふるいました。そして一人の善の天使が肉眼に姿を現わし、狩猟用の猪槍《ししやり》を持った悪の天使に命令を下しながら、家々の戸をたたくように命じていました。そうして一軒の家がたたかれた回数だけ、それと同じ数の死人がその家から出たということであります」
パヌルーはそこでその短い両腕を、前庭の方向へあたかも雨のはためく帷《とばり》のかなたに何ものかを指し示そうとするかのごとく、差し伸べた――「皆さん」と、彼は力をこめていった。「その同じ死の狩り立てが、今日私どもの町の路上を駆けめぐっているのであります。ごらんなさい、そのペストの天使を――さながら魔王《リュシフェル》のごとく堂々として、悪そのもののごとくきらびやかに、あなたがたの屋根の上に突っ立ち、右手には頭の高さに赤い猪槍をささげ、左手ではあなたがたの家々の一つを指し示しています。いまこの瞬間にも、おそらく彼の指はあなたがたの戸口に伸び、猪槍が扉の板に音をたてているのです。さらにまたこの瞬間に、ペストはあなたがたの家のなかにはいり、あなたがたの部屋にすわり、あなたがたの帰りを待っているのです。ペストはそこにいます――しんぼう強く、注意深く、この世の秩序そのもののように落ち着き払って。ペストがあなたがたの方へ伸ばすその手は、いかなる地上の力も、また――よく銘記しておいていただきたいことでありますが――かのむなしい人知なるものといえども、あなたがたがこれを避けうるようになどすることはできないのでありま
す。そして苦痛の血みどろな麦打ち場で打ちのめされ、あなたがたは藁屑とともに投げ捨てられるのであります」
ここで神父はさらに豊かな潤色をもって、災禍の悲壮なイメージを語り続けた。彼は、巨大な木片が町の上空を旋回し、手当り次第にたたきつけてはまた血みどろになって舞い上り、最後には「真理の収穫を準備する種まきのために」人類の血と苦痛とをまき散らすありさまを描いて見せたりした。

この長い一節が終ると、パヌルー神父は、髪を額にたらし、全身を震わし、その震えを両手の先から説教壇にまで伝えながら、ちょっと休止した。それから、今までよりももっと内にこもった、しかし責めるような調子で、また話し続けた――「そうです。反省すべき時が来たのであります。あなたがたは、日曜日に神の御もとを訪れさえすればあとの日は自由だと思っていた。二、三度跪座《きざ》しておけば罪深い無関心が十分償われると考えていた。しかし、神はなまぬるいかたではないのであります。そんな遠々しい交わりでは神の飽くなき慈愛には十分でありませんでした。神はあなたがたともっと長く面接することを望んでおられたのであります。それが神のあなたがたを愛したもう愛し方であり、また実をいえば、これこそ唯一の愛し方なのであります。こういう次第で、あなたがたの来ることに待ち疲れたもうた神は、災禍があなたがたを訪れるに任せ、およそ人類の歴史なるものが生れて以来、罪ある町のことごとくに訪れたごとく、それが訪れるに任せたもうたのであります。あなたがたは今や罪の何ものたるかを知るのであります――カインとその子らがそれを知ったように、洪水以前の人々が、ソドムとゴモラの人々が、ファラオンとヨブとまたすべてののろわれし者どもがそれを知ったように、知るのであります。そしてこの町があなたがたとこの災禍を閉じこめて囲いを閉ざした日以来、あなたがたはちょうどそれらすべての人々がしたように、一つの新たな眼を生きものや事物の上に向けているのであります。あなたがたは今こそ、そしてついに、本質的なものに帰らねばならぬことを知ったのであります」

カワジさん、この洪水以前って何でしょう？

カワジさん　ノアの洪水の前、ということですか。

そう。では、ソドムとゴモラって何？

カワジさん　同性愛のために、神によって熔岩か何かが落とされてなくなった町、滅ぼされた町だと思います。

そうだね。ソドムとゴモラの人たちはどんなヘアスタイルだった？

カワジさん　知りません。

スキンヘッドなんです。なぜか？　スキンヘッドにしていると男か女か性別が分かりにくいでしょ。だからスキンヘッドはソドム、ゴモラのシンボルでもあるんです。欧米でスキンヘッドのファッションは最近になって出てきたのですが、それまではキリスト教の影響が強い土地では伝統的に嫌がったわけです。

ここは特に難しくないですね。要するに、われわれが悪いせいで天罰が当たってきた、しかし、それは必ず救済のプロセスなんだ、このペストが流行しているということは救済が近いんだ、というのがパヌルー神父の説教ですね。

悪の中の善の意味

パヌルー神父の第一の説教を続けます。

「しめっぽい風が今では陪者席まで吹き込んで来て、蠟燭の火は細まりながらなびいた。濃い蠟の香、咳、誰かの嚔《くしゃみ》などがパヌルー神父のほうへ流れて来、神父はそこで大いに賞賛を博した巧妙な手ぎわで自分の論題にもどると、穏やかな声でこう続けた——「みなさんのなかには、さてそこで私がどういう結論へ行き着こうとしているのかと、疑問をいだかれるかたも多いことでありましょう。私は皆さんを真理に行き着かせたい、そしてたとい私が述べたようなすべてのことがらはあろうとも、喜びをもつことを皆さんに教えたいと思うのであります。忠告や友愛の手が皆さんを善へ押しやる手段であった時期は、もう過ぎ去りました。今日では、真理はもう命令であります。そして救済への道は、すなわち赤い猪槍がそれを皆さんにさし示し、またそこへ押しやるのであります。ここにこそ、皆さん、あらゆるもののうちに善と悪とを置き、怒りとあわれみと、ペストと救済とを置きたもうた神の慈悲が、ついに明らかに顕現されているのであります。皆さんを苦しめているこの災禍そのものが、皆さんを高め、道を示してくれるのであります」

「ずっと昔のことでありますが、アビシニアのキリスト教徒たちは、ペストというものを、永生をかちうるための、神から出た、有効な手段というふうに見ておりました。ペストにかかっていない者たちは、みずからペスト患者の毛布にくるまって、確実に死のうとしました。

もちろん、こういう狂熱的な救済欣求《ごんぐ》は推賞すべきではありません。そこには実に傲慢にも近い、遺憾とすべき性急さが表われております。神以上に急いではならず、およそ神がひとたび永久に建てたもうた不易の秩序を早めようなどとすることは、すべて異端に導くものでありNます。しかし、少なくともこの例は、それとしての教訓を含んでおります。もっとはっきりすべてを見ることのできる私どもの曇りなき精神にとっては、それはすべての苦悩の底に宿る、かの永生の無上の輝きを一層輝かしいものとするばかりであります。この輝き、それは解放に至るほの暗い道々を照らすものであります。あやまつことなく悪を善に変えたもう、神の御心を示現するものであります。今日もなお、死と懊悩と叫喚のこの歩みを通じて、それは私どもを本質的な静寂に、あらゆる生活の本義に導いてくれるのであります。これこそ、皆さん、私が皆さんにもたらしたいと願った広大無辺の慰めなのであり、つまりこれを述べることによって、皆さんにはこの席から、単に懲戒の言葉ばかりではなく、また心をなごめる生気をも持ち帰っていただきたいのであります」

マツカタさん、アビシニアってどこ？　猫のアビシニアンとか、聞いたことないですか。
結構、血統書付きで高い猫です。気が荒いんだけどね。

マツカタさん　エチオピアですか。

そう、エチオピアのことなんです。アビシニア、つまりエチオピアのキリスト教徒たちは、ペストによって死ぬことで天国に行けると信じた、という話をしているわけです。これは実際の出来事です。この世は苦であり、死ぬことによって解放されると信じられていたわけですからね。斎藤環《たまき》さんと與那覇潤《よなはじゅん》さんの対話による『心を病んだらいけないの？』（新潮選書）はすごくいい本だったから読んでほしいのですが、うつ病が進んでくると自殺の衝動が出てくる。それは扉を開けて隣の部屋に行く程度の感覚だというのです。

古代エチオピアのキリスト教徒にとっても、死というのは扉を開けて隣の明るい部屋へ行くくらいの感覚に近かったでしょう。早くペストに罹患して死んでしまいたいというのは、この苦しい世界から自由になることだと信じていたわけですから。ここでパヌルー神父はそんな事例を紹介して、みんなに「恐れるな」というメッセージを出しています。

この考え方に説得力を感じますか？

マツカタさん　勢いというか、引き込まれる感じはします。

そうだよね。今でも例えばがんのステージⅣなんて宣告された時、この種の説得は使われますよね。若くして働き盛りで、大変ながんになっちゃったと。しかし、神様の考えていることは分からないけれど、この苦しみを通り抜けて、あなたは自由になるんだ――まやかしなんだけど、そんな形で神父や牧師が慰める、というケースはよくあるよね。悪――不条理とか不運とか宿命とかと呼んでもいいです――の中に何か善の意味があるという読み解きをしていく。

生命に差をつけるのか

もう少しだから、このブロックは全部読んじゃいましょう。

「人々はパヌルーがいうべきことを終ったと感じた。外では、雨はやんでいた。水分と日光の入り混った空が、ひときわ若々しい光線を広場に注いでいた。街路の方からは、人声や車馬のきしめきや、再び活動しはじめた町のいっさいのさざめきが上ってきた。聴衆はかすかにざわつきはじめながら、そっと身のまわりのものを集めていた。神父はしかしながら再び言葉を次いで、ペストが神から出たものであることと、この災禍の懲戒的な性格とを明らかにした以上は、自分のいうべきことは終ったのであり、最後の結びのために、このように悲劇的な題目に関して場違いというべき雄弁術に助けを求めることはしないつもりである、といった。彼には、何もかもすべての人々にとって明瞭であることと思われるのである。彼はただ、マルセイユの猛ペストのさい、その記録者マシウー・マレー（訳注 ルイ十五世時代のパリ裁判所付き弁護士）がこのように救いも希望もなく生きていて、まったく地獄へ落ちてしまったと嘆いたことに、言及した。つまりそれは、マシウー・マレーは盲いていたのである！ それどころか、かつて今日ほど、パヌルー神父は、万人に差し出された神の救いとキリスト者の希望とを感じたことはないのである。彼はあらゆる希望を越えて、わが市民がこの日々の惨状と瀕死の人々の叫びにもかかわらず、キリスト者の唯一の言葉たる、すなわち愛の言葉を天に捧げるであろうことを期待している。その余のことは神がなしたもうであろう。」

さっき言ったような、悪の中に善とか肯定的な意味を見ようとする。そんな言い方は――『ペスト』刊行は一九四七年ですが――五〇年代になると、おそらくできなかったんじゃないか。マエダさん、どうしてだと思う?

マエダさん　もう戦争を忘れてきたからですか?

逆なんです。アウシュビッツ・ショックですよ。五〇年代になると、アウシュビッツやホロコーストについて広く知られるようになりました。ここのパヌルー神父の論議からすると、アウシュビッツで死んだユダヤ人にも意味があるんだ、という解釈になってしまう。

この悪の問題については、クラウス・フォン・シュトッシュの『神がいるなら、なぜ悪があるのか』(関西学院大学出版会)がいい教科書になります。

この本は副題が「現代の神義論」とある通り、昨日も説明した神義論を扱っていますが、まず「神を信じるならば、この世界に見られる悪には肯定的な意味があるというような立場は採用しません」と言い切っている。もっとも、これはアウシュビッツ以降、あるいはアウシュビッツ・ヒロシマ以降の神学の特徴です。われわれが皮膚感覚で理解するために、アウシュビッツより広島・長崎で考えてみた方がいいかもしれません。

広島・長崎に関して、今でもアメリカの主流の言説は、「広島・長崎への原爆投下は悪ではあるだろう。しかし、それは小さな悪だ。もし広島・長崎に原爆を落とさなければ、日本の本土での決戦になっていた。そうしたら多くのアメリカ人の兵隊が死ぬだけでなく、日本人も将兵のみならず、民間人も大量に死んだだろう。それを考えるならば、広島・長崎の原爆は戦争の早期終結に結びついて、多くの人命を救うことができた。だから、そのための犠牲は出たけれども、広島・長崎へ落とした原爆の悪は大きな善を実現するための小さな悪であった」という論理構成ですよ、未だにね。これ、アメリカで今でも主流の発想なんです。

ミカミさん、この考え方、どこがおかしい？

ミカミさん　人の命に差をつけている感じがします。

そう、それから人の命を定量的に計っていいのか、ってことですよね。二人死ぬのと一人死ぬのとでは、一人死ぬ方がいいでしょうという考え方ですよね。そんな計算式にしていいのかということ。だから、いろんな問題があるんです。

こういう神義論的な考え方は、実は欧米人の中で悪事を正当化する時によく出てくるわけ。パヌルー神父の考え方は、ペストという悪と闘わないということ自体に意味を見出していますす。これに似ているような話って何かないかな？　例えば病と闘わないとか――。

ミカミさん　ああ、がんと闘うと抗がん剤とか副作用が大変なんで、痛みのケアだけしていこう、みたいなお医者さんはいますね。

それ、どういう意味がある？　経済を結び付けて考えてみて。

ミカミさん　新自由主義が強まると、「弱者が死んでもしょうがない」みたいな考え方が主流になる？

　そうも言えるでしょう。ただ私の視点は少し違って、がんと闘わないと、お金がかかんない、ということなんですよ。がんって、ものすごくお金がかかる。例えば共働きで、パートナーが入院したりすると、十分なケアをしてあげるためには家政婦さんを雇ったりしないと無理でしょうしね。苦しむところをあまり他人の眼に晒したくないと思うと、個室になるでしょうし。がん保険に入っていないと経済的にものすごく大変。闘病が長くかかると、東京でも2ＬＤＫのマンションが買えるくらいの費用がかかりますよ。

　ところが、そこへ「がんと闘うな」と主張する本があって、その方がむしろ、お父さんお母さんのためにプラスなんだと医者が書いている。税込み一六五〇円とかでその本を買って読んで、基本的に保険でできるような疼痛《とうつう》ケアにペインクリニックへ通えばいいんだ、それが実はがんにかかった親のためなんだと自分で納得できる。経済的にもそんなに打撃にはならない。そういう効果はあるんです。

　だから、ペストと闘わないと決めて、そのエネルギーはとにかく祈りに捧げるとなったら医療も要らない。そこに付随する社会福祉制度も要らなくなる。そうすると、これは政府としては楽だよね。ただし、ペストが本当に蔓延して人間がほとんどいなくなっちゃったら、社会は壊れてしまうけどね。

では、新型コロナウイルスと闘わないという政策を採った国って、どこ？

ミカミさん　スウェーデンですか。

そう、スウェーデンは新型コロナウイルス流行期に店も閉鎖せず、五〇人を超えるイベントを禁止しただけで、あとは全部、オウン・リスクでやれという方針でした。ただ死者は多いけどね。でも、行政はほとんどコストをかけず、経済の生産性もあまり下げない――そんな選択をしたわけですね。

そんな選択を採る時、「闘わない」という思想的操作は結構、重要なんですよ。だから、スウェーデンで何がどうやって起きたのかを理解するために、『ペスト』のパヌルー神父の考え方を見てみるのは面白い。天から与えられた意味があるんだ。闘っても意味はないんだ。むしろ、受け止めて日々の命を大切にしましょう。日々の生活を充実させましょう。こういう思想も説得力を持ったのが今回の新型コロナウイルスという災禍でした。

無神論者である医師の見解

じゃあ、今度は『ペスト』の一八四ページの三行目から読んでみましょう。リウー医師と観察者のようなよそ者タルーとの会話です。いろんな収入があるようで、ちょっと自由人みたいなタルーは、ほんの数週間前にオランへやって来て、ノートにいろんなメモを書きつけています。このタルーの手記も『ペスト』という小説の構成に大きな意味を持ちます。

さて、この場面は、前にも言ったようにパヌルー神父へのアンチテーゼになっています。

「タルーは肘掛椅子のなかでちょっとくつろいだ姿勢になり、頭を明りのなかへ突き出した。

「神を信じていますか、あなたは？」

質問はまた自然な調子でなされた。しかし今度は、リウーはちょっとためらった。

「信じていません。しかし、それは一体どういうことか。私は暗夜のなかにいる。そうしてそのなかでなんとかしてはっきり見きわめようと努めているのです。もうとっくの昔に、私はそんなことを別に変ったことだとは思わなくなっていたのですがね」

「つまりそこじゃありませんか、あなたとパヌルーの違いは？」

「そうは思いませんね。パヌルーは書斎の人間です。人の死ぬところを十分見たことがないんです。だから、真理の名において語ったりするんですよ。しかし、どんなつまらない田舎の牧師でも、ちゃんと教区の人々に接触して、臨終の人間の息の音を聞いたことのあるものなら、私と同じように考えますよ。その悲惨のすぐれたゆえんを証明しようとしたりする前に、まずその手当てをするでしょう」

リウーは立ち上り、その顔は今は陰のなかにはいっていた。」

リウーは、パヌルーを「書斎の人間」で現場を知らないと批判しています。この教区の現場の牧師だったら、目の前で苦しんでいる人を具体的に助けようとするだろうと。リウーは無神論者ですね。

「「やめましょう、この話は」と、彼はいった。「なにしろ、あなたが答えようとなさらないんだから」

タルーは椅子から動こうとせず、ほほえんだ。

「答えのかわりに、一つ質問をしてもいいですか？」

今度は、医師のほうがほほえんだ――

「謎がお好きですね」と、彼はいった。「まあ、承りましょう」

「つまり、こういうことです」と、タルーはいった。「なぜ、あなた自身は、そんなに献身的にやるんですか、神を信じていないといわれるのに？　あなたの答えによって、あるいは私も答えられるようになるかもしれないんですがね」

陰のなかから出ようとはせず、医師は、それはすでに答えたことで、もし自分が全能の神というものを信じていたら、人々を治療することはやめて、そんな心配はそうなれば神に任せてしまうだろう、といった。しかし、世に何びとも、たといそれを信じていると信じているパヌルーといえども、かかる種類の神を信じてはいないのであって、その証拠には何びとも完全に自分をうち任せてしまうということはしないし、そして少なくともこの点においては、彼リウーも、あるがままの被造世界と戦うことによって、真理への路上にあると信じているのだ。」

このリウーの考え方も、病気と闘うことによって何らかの真理に向けて生きていくということで、一種の目的論構成があります。リウーも無神論者ながら、実はとてもキリスト教的なんだよ、とカミュは示唆しているわけです。

そして予言が流行る

さて、パヌルー神父はやがて、実際に目の前でたくさんの死者を目撃して、リウーが批判したような書斎の人ではなくなるわけです。小説の終盤ではパヌルー自身もペストにかかって死ぬのだけれども、彼の考え方はどういうふうに変化していったか？　三二五ページの一一行目から読んでみましょう。

パヌルー神父は、ペストで亡くなった少年のためのミサへ、そこでの説教で自分の見解を述べるつもりだからとリウーを誘います。

「「あなたにも来ていただきたいんですがね。論題は、きっとあなたにも興味があると思うんです」

神父は彼の第二回目の説教をある大風の日に行なった。実際のところ、聴衆の列は第一回のときよりもまばらであった。それはつまり、この種の催しが、市民たちにとって、もう新奇なものとしての魅力はなくなっていたからである。市《まち》が経験しつつあった困難な状況のなかでは、「新奇」という言葉そのものがもう意味を失っていた。それに、大部分の人々は、たとい宗教上の務めを完全に捨て去っていないまでも、あるいはそれをはなはだしく背徳的な個人生活に全く調子を合わせたようなものにしてしまっていないまでも、通常の宗教的な務めをまるで不合理な迷信に置き換えてしまっていた。彼らはミサに出かけるよりも、好んで災厄よけのメダルや聖ロックのお守りを身につけていたのである。

その例として、市民たちが、予言というものをやたらに愛用したことをあげることができる。春には、実際、人々は今か今かと病の終息を待っていながら、しかも病疫の持続期間についてはっきりしたことを人に求めようと思う者などはなかったのであるが、それはどうせいつまでも続くようなことはあるまいとみんなが確信していたからであった。しかし、日がたつにつれて、人々はこの不幸が実際終りを告げることはないのではあるまいかと心配しはじめ、そしてそれと同時に、病疫の終息ということが、あらゆる希望の対象となったのである。そこで、古代の道士やカトリック教会の聖者たちによるさまざまの予言が、手から手へ渡り歩くようになった。町の印刷業者たちはこの熱中ぶりを種に一もうけできることを逸早く見てとり、流布していた原文を大部数印刷してばらまいた。一般の好奇心が飽くことを知らぬ様子を認めると、彼らは市の図書館で、民間説話の類いが提供しうるこの種のあらゆる証言の探索を試みさせ、そしてそれを市内に流布させた。説話でも予言が足りなくなってしまうと、ジャーナリストの連中に注文が発せられたが、この連中も、少なくともこの点に関するかぎり、過去の世紀のお手本に劣らず有能なところを示した。」

正当な信仰から外れて、まじないとか予言、迷信みたいなものが流行していく。シンカイさん、今回の新型コロナウイルスで、日本でも似たようなものが流行りませんでしたか？

シンカイさん　そんな大きなものはなかったと思いますが……。

そうかな、グッズもいろいろ出てるよ？

シンカイさん　えーと……あ、アマビエさん？

アマビエって、急にブームになりましたね。アマビエグッズが山ほど出ている。新型コロナウイルスによる影響がなかなか終息しないという展望の下、江戸時代の瓦版に載った妖怪アマビエなんていうのが急に持ち出され、グッズになってビジネスになっている。利益は億を超えているでしょう。でも、それは『ペスト』のこの部分に書かれてあることの反復だよね。人間のやることはパターン化されているんですね。

文芸作品もこうやって現在とアナロジカルに読んでいくことが重要だと思います。パヌルー神父の第二の説教への前段階が続きます。

「これらの予言のある種のものは新聞紙上に連載したりまでされ、しかもそれが、健康時代にその欄に見られた感傷的な物語に比べて、それより熱心に読まれなかったわけではなかった。こういう予見の幾つかのものは、その年の紀元年数や、死亡者の数や、ペストの体制のもとにすでに経過した月数などが加味された、奇妙な計算を根拠としていた。またあるものは史上の大規模なペストとの比較を試み、そこから類似点（予言はこれを常に不変であると称していた）を取り出し、そしてこれも前者に劣らず奇妙な計算を用いて、現在の試練に関する教訓をそれから引き出しうるとしていた。しかし、最も一般に珍重されたのは、むろん、黙示録風の言葉をもって、一連の出来事――その一つ一つが現在この町の経験しているものでありえて、しかもその複雑さからあらゆる解釈が許されるような一連の出来事――を予告したものであった。ノストラダムス（訳注　十六世紀フランスの占星術者。一五五五年以後十世紀間の出来事に関する予言集を著わし、アンリ二世の変死その他、彼の予言が的中したと認めうる事実が少なくないため、今日でもなおその研究者が絶えない）と聖女オディール（訳注　六世紀におけるアルザスの王女。生来の盲目が開眼の奇跡を授かり、モン・サント・オディール修道院を創建した。アルザスの守護聖女とされている）がそこで毎日のように引き合いに出され、しかも常に、しかるべき収穫があった。それに、あらゆる予言に一貫して共通であったことは、それが結局において安心を与えるものであったということである。ひとり、ペストだけはそうでなかった。」

　ノストラダムスの大予言って、定期的に流行りますね。シンカイさん、どうだろう。ノストラダムスの大予言でコロナを読む、なんて記事は「週刊新潮」は載せないだろうけど、コンビニ系の雑誌や書籍だったら出かねないと思わない？

シンカイさん　一九九九年の、「恐怖の大王」でしたっけ？　あれでノストラダムスは当たらないとなったから、どうでしょうね。

　ノストラダムスに限らず、有名な予言というのは非常に曖昧で、さまざまな読み取り方ができるようになっているからね。過去の読み取り方が間違えていた、実はノストラダムスが予言していたのは疫病の話だったんだ、と。こういう読み解きの変更はそんなに難しくないんですよ。実際、あの本の中には、いろんな疫病の示唆がありますしね。だから、ちょっと纏め直すだけで、いいかげんな本は作れてしまいます。

でも、だからと言って、「お、佐藤さん、それ作りましょう！」と、この講座のスタッフもやってくれている新潮社の親しい編集者から頼まれたとしても、私はそういう本を作ってはいけないんです。なぜかと言うと、キリスト教徒は予言とかまじないをやってはいけないことになっているからですね。

ともかく、事態が深刻になればなるほど、「何でもいいから救ってほしい」という大衆の欲求は膨れ上がってきます。だから例えば、新書版で『アマビエの謎』みたいなのを出しても、それなりに損益分岐点を超えると思いますよ。カミュが『ペスト』に記したことから出版のビジネスヒントを読み込むことも可能なんです。

これはノストラダムスの予言とは違う意味で、『ペスト』に限らず優れた小説というのは芸術的な達成とは別に、多様な読み取り方ができるし、そこを読み解く力というのも大事になってきます。そこの力こそが本当の読解力、国語力、論理力、思考力ということですよね。

例えば新井紀子さんが、『ＡＩ vs. 教科書が読めない子どもたち』（東洋経済新報社）の中で、最近の子どもたちの論理力がひどく落ちている、と厳しく批判しました。それに対して、「国語の授業で小説ばかり読ませているから、こういうことになったんだ。だから「論理国語」にして駐車場の契約書なんかを読ませて、小説を省いてしまおう」という動きが出てきた。それに反対したのが、まさにさっき紹介した『心を病んだらいけないの？』で、斎藤環さんも與那覇潤さんも、小説を読むことの重要性を指摘しています。
小説を読み解く時に重要なのは、もちろんロジカルな読みは必要なんだけど、アナロジカルな読みなんですよ。さっきから私が『ペスト』をめぐって語っているのは、アナロジカルな読みです。

「あなたがた」から「私ども」へ

それでは、いよいよパヌルー神父の第二の説教に入っていきましょう。

「これらの迷信がそこで市民たちにとって、宗教の代りとなっていたわけで、つまりそういう理由から、パヌルーの説教もわずかに七分どおり満たされた会堂のなかで行われたのであった。説教の晩、リウーが行ったときには、入口の観音開きの扉から隙間風になって吹き込む風が、聴衆の間を自由に駆け巡っていた。そして、寒くひっそりとした教会の、特に男たちだけの会衆のなかに、彼は席をとり、そして神父が壇上に上るのを見たのである。神父は第一回のときよりももっと穏やかな考え深い調子で話し、そして幾度も、会衆はその話しぶりにある種のためらいが見られることに気がついた。さらに興味深いことには、彼はもう「あなたがたは」とはいわず、「私どもは」というのであった。」

マキハラさん、この「あなたがたは」と言うのと、「私どもは」と言うのとでは、どう違う？

マキハラさん　仕事をしている時に、いつ「私どもは」って言うかなと考えると、二人称を使うと上から目線になりかねないし、一人称単数にするより、一人称複数にした方が責任の所在を分散させて予防線になる、ということでしょうか？

うん、会社の現場で考えてみましょう。チームリーダーとか課長級と考えてみよう。自分たちの部下に会社の姿勢について述べる時は、きっと「あなたがたは」になるよね。上の方の意向として、あなたたちにはこれをやって欲しいんだ、という言い方。

でも、会社に対して自分たちの部局の意見を言う時は、「私どもは」になる。私たちとしては、こうしたいんです、と。

ここでパヌルー神父が主語を変えているのは、神父というのが中間管理職であることの顕れでもあるんですよ。神と人間の間の中間管理職なんだ。そして、中間管理職にある者は「管理者の側として発言すること」と、「従業員の側として発言すること」の両方がある。

すなわち、パヌルー神父が「私どもは」と言う時、彼はいわば従業員の側に立っている立場、もはや一般の信徒の側に立っていて、神の言葉を代表している側にいない、ということですよ。立ち位置が変わったのです。これは重要なポイントですよね、神様に近い場所にいたのが、人間のいる地上へ降りてきたわけ。

つまり、『ペスト』の物語に即して言えば、パヌルー神父はペストの悲惨な状況をつぶさに見たために、神の立場の側から「ペストの流行の中にこそ救済があるんだ」と言っていたのが、もはや神の立場側からは語れない、今は人間の側として語り始める、と変わったんですね。

ここは内容に入る前に、カミュが丁寧に読者へ分かるよう、「あなたがたは」から「私どもは」への変化を強調しているわけですね。逆に言えば、それだけ重要な箇所ですよ、というサインでもあります。

「しかしながら、彼の声は次第にしっかりしてきた。彼はまず、数カ月の長きにわたってペストがわれわれの間に存在したことを指摘し、そして今や、それがわれわれの食卓あるいは愛する者の枕辺にすわり、われわれのそばを歩み、仕事場にわれわれの来るのを待ち受けているのをかくもたびたび目撃して、それを一層よく知った現在では、すなわち今こそ、それが休むことなく語り続けていたもの――しかも当初の驚きのなかで、あるいはわれわれがよく聞こうとしなかったかもしれぬものを、おそらく一層よく受け取ることができるであろう、ということから説き起した。この同じ場所で、前回すでにパヌルー神父が説いたところは、依然として真実である――あるいは少なくとも、彼はそう確信している。しかもおそらくなお、われわれ一同誰でもそういうところがあったであろうし、そして自分は胸をたたいて自ら責めるのであるが、彼はそのことを慈悲の心なく考え、かつ、いったのであった。しかしながら、依然として真実であることは、あらゆる事柄において、常に採るべき点があるということである。最も残酷な試練も、キリスト者にとっては、なおかつ利益である。そして、まさに、キリスト者が本件において探求すべきものは、すなわちその利益であり、その利益がいかなる点にあるか、いかにしてそれを見出しうるかということである。」

はい。ここで、「当初の驚きのなかで、あるいはわれわれがよく聞こうとしなかったかもしれぬものを、おそらく一層よく受け取ることができるであろう」というのは、具体的にはどういう意味だろう？　これは昨日取り上げたエマニュエル・トッドにも同じことが言えるのが面白いんです。何だろう？

マキハラさん　……現場を知った？

そう、リアルな現場を知ったわけです。トッドは自分の別荘に引っ込んだことで、逆に密集した所に住んでいる人たちもいること、それが感染リスクの違いになっていることに気づいた。そこから、国家機能が強まっていって、行政権がますます強められていくことが見えるし、格差も拡大していくことが予見できる。直接、新型コロナウイルスによる死者を見たわけではないけれど、リアルを感じ取ったんだね。

パヌルー神父は今まで書斎の中、あるいは教会の中だけにいて、新聞の報道とか、教会に来る信者の声だけでペストを踏まえ、それで「ペストには神の意思があるから受け止めろ」と言っていたのが、現場を見ることで変わったわけです。

子どもの苦しみを前に

では、次の部分、いちばんの核心を読みましょう。

「このとき、リウーの周囲では、人々が椅子の腕木の間で姿勢を楽にし、できるだけ気持ちよくすわり直そうとする様子であった。入口のレザー張りの扉の一つが、軽くはためいた。誰かが立って行って、それを押えた。そしてリウーが、この騒ぎに気をとられて、ちょっと聞きとれないでいる間に、パヌルーはまたその説教を続けた。彼は、ペストのもたらした光景を解釈しようとしてはならぬ、ただそこから学びうるものを学びとろうと努めるべきであると、ほぼそんなふうなことをいったようであった。リウーのおぼろげに読みとったところでは、神父にいわせれば、そこにはなんら解釈すべきものはないのであった。彼の興味が全くひきつけられたのは、パヌルーが、世には神について解釈しうるものと、解釈しえないものがあると、力をこめていったときであった。確かに、善と悪というものはあり、また一般に、両者を区別するところのものは容易に説明される。しかし、悪なるものの内部の世界で、困難が始まるのである。たとえば、一見必要な悪と、一見無用な悪とがある。地獄に落されたドン・ジュアンと、子供の死とがある。なぜなら、遊蕩児が雷電の一撃を受けることは正当であるとしても、子供が苦しむということは納得できないのである。そして、実に、この地上における何ものも、子供の苦しみと、この苦しみにまつわるむごたらしさ、またこれに見出すべき理由というものほど、重要なものはないのである。」

このドン・ジュアンというのは、いろんな説話に出てくる架空の人物で、英語読みをすればドン・ファン。モーツァルトのオペラだとイタリアふうにドン・ジョバンニと呼ばれます。この男は女たらしの遊蕩児で、最後は地獄に落ちるんですね。そのことと、子どもが死ぬのがまるで同列に起きるのが納得できないとパヌルー神父は言っているわけです。

ここはカミュのオリジナルというより、ドストエフスキーの提出した問題から来ていると思います。ドストエフスキーの『カラマーゾフの兄弟』の中に、こういう話があります。農民の子どもが領主の犬に石を投げて、ケガをさせる。領主が怒って、何頭かの猟犬にその子どもを襲わせて、母親の前で嚙み殺させる。その話を次男イワンがすると、敬虔な修道僧で普段は温厚な三男アリョーシャが「そんなやつは銃殺しろ！」って叫ぶんです。そこでイワンが「ほら、おまえだって人を殺したいという悪魔みたいなところがあるじゃないか」とニタッと笑う。「おまえにもカラマーゾフの血が流れているんだよ」と印象づける名場面です。

子どもがなぜ苦しみに遭わないといけないのか、それでも神はいるのかというのはドストエフスキーがものすごく追求した問題です。ここにはドストエフスキーの影響があるでしょうね。

「そのほかの生活においては、神はわれわれのためにすべてを容易ならしめたまい、そしてそこまでは、宗教も別に功徳はない。これに反して、ここで神はわれわれを壁際に追い詰める。われわれはつまりそういう状態でペストの囲壁のもとにいるわけであり、そしてその囲壁の死の影のなかにこそ、われわれの利益を見出さねばならぬのである。」

この考え方はもう、典型的にプロテスタント的になっています。私はプロテスタント信者ですが、われわれは人間の力でできる、ぎりぎりまでやる、と。でも、そのぎりぎりの外側には、もはやわれわれの分からない世界がある。そこには、目には見えないけれど、確実に存在する境界線がある。それが人間と神との境界線だ、という考え方なんです。

これを理論的に一番よく整理したのがフリードリヒ・シェリングの後期の著作、『人間的自由の本質』(岩波文庫)です。これが、底なしの湖底にある底の底みたいな表現で、この境界線も明らかにしています。だから、あるところまでは徹底的に合理的に進めていかないといけないけれど、どうしてもその先へは行けない、という底の底の底がある。そんなわれわれの限界を超えた、ぎりぎりの底が、ペストで見えてくる、新型コロナで見えてくる。そこから信仰が出てくる、という考え方なのです。

となると、信仰というのは理屈で信じることじゃないんですね。丸ごと受け入れるか、それとも丸ごと拒否するかになる。これはキルケゴールの言葉だけれど、「あれか、これか」しかなくなるんです。だから、『ペスト』は——少なくともパヌルー神父は——実存主義的な信仰に入っていっているんです。

ところが、日本の批評家にはここが全然、読めてないいんだな。パヌルーは信仰が無力であると気づいて無神論になった、というのが標準的な読みです。そうではないのです。カミュが取っている態度は、ペストに対抗する原理として、一つは「神はいない」という無神論の中で取り組んでいこうという考え方。これはリウー医師ですね。もう一つは、カトリシズムでは対応できないけれど、プロテスタンティズムで対抗できるのではないかという姿勢。こっちはパヌルー神父ですよ。カミュはその二面を並行的に出していると私は思います。

ただし、カミュはどちらが正しいという裁断は下していません。信仰心の有無とは関係なく、ぎりぎりの状況に追い込まれて、「事態を丸ごと受け入れよう」と心を決めるパヌルー神父にせよ、「とにかく自分のできる最善を尽くそう」と実行するリウー医師にせよ、コロナと共に生きる私たちに何がしかのヒントを与えてくれるように思いませんか？

「信仰のみ」か「信仰と行為」か

いま言ったことを踏まえて、続きを読みましょう。昨日も読んだ箇所に入っていきます。

「パヌルー神父は、その壁を乗り越えさせてくれるような安易な好都合さを自分の立場とすることさえしようとは思わなかった。彼としては、その子供を待ち受けている久遠の歓喜はその苦しみを償いうると、いうことも容易であったろうが、しかし真実のところ、彼はその点に関してはなんにも知らなかった。そもそも永遠の喜びが、一瞬の人間の苦痛を償いうると、誰が断言しうるであろうか？　そんなことをいうものは、その五体にも霊魂にも苦痛を味わいたもうた主に仕える、キリスト者とは断じていえないであろう。否、神父は壁際に追い詰められたまま、十字架によって象徴されるあの八裂きの苦しみを忠実に身に体《てい》して、子供の苦痛にまともに向い合っているであろう。そして、彼はこの日、自分の話を聞いている人々に向って、恐れるところなく、こういうであろう――「皆さん。その時期《とき》は来ました。すべてを信ずるか、さもなければすべてを否定するかであります。そして、私どものなかで、いったい誰が、すべてを否定することを、あえてなしうるでしょう？」

ここでのポイントは、十字架の上で苦しんで死んだキリスト、なのです。神が神のままにとどまらず、人間となって地上へ送られてきて、何の罪もないのに十字架に架けられた。あの「八裂きの苦しみ」を受けて死んでいった。その苦しみとアナロジカルな苦しみの中に、つまりペスト禍に、われわれは置かれている。その苦しみが救済へとつながっていったという、キリスト教の原点を考えよう。十字架に架けられたイエスによって、われわれは完全に救われることを受け入れるか、その信仰を受け入れないか、どっちかだ――。

すると、これは「信仰のみ」ということになるんです。カトリックは「信仰と行為」が大切なんですよ。信仰だけではダメで、正しい行為をしないといけない。ところが、パヌルー神父の説教はここで、ぐっとプロテスタントに寄っていっている。そこをリウーは「異端とすれすれ」だと次の箇所で思うのです。

「リウーが、神父は異端とすれすれのところまで行っていると、考える暇もほとんどないうちに、神父は早くも力強く言葉を続けて、この命令、この無条件の要求こそ、キリスト者の恵まれた点である、と断言した。それはまたキリスト者の徳操でもある。神父は、彼がこれから語ろうとする徳操に激越なものの存することが、もっと寛容な、もっと古風な道徳に慣れている、多くの人々の精神に反発を感じさせるであろうことを知っている。しかし、ペストの時代の宗教は、ふだん毎日の宗教と同じものであることはできないし、神も、幸福の時代において人々の魂が安息しかつ楽しむことを、許し、あるいは願いさえしたもうことがありえたとしても、極度の不幸のなかではその魂が激越ならんことを望みたもうのである。神は今日そのつくられし者どもに恩寵をたれたまい、彼らが「全」か「無」かの操持という最も偉大な徳操を、是非とも見出しかつ実践しなければならぬほどの不幸のなかに、彼らを投じたもうたのである。

ある瀆神的な著者が、最近の世紀に、教会の秘密を発《あば》くと称して、煉獄なるものは存在しないと断言したことがある。その著者がそういう言い方で言外ににおわせようとしたことは、中途半端な度合いというものは存在しないということ、天国と地獄だけしか存在しないということ、そして人は自ら選んだところに従って救われるか、あるいはおとされるかする以外にはありえないということであった。」

煉獄の存在を否定しているのは、プロテスタンティズムと正教です。カトリックでは煉獄がある。煉獄を否定すると、「あれか、これか」になると言っているわけです。

「これは、パヌルーのいうところを信ずるならば、放縦な魂のなかにしか生れえない類いの異端である。なぜなら、煉獄というものはやはり存在するからである。しかし、確かに、そういう煉獄があまり期待されるべきでないような時代があり、赦免されうべき罪などということを口にしえないような時代がある。すべての罪は大罪であり、すべての冷淡さは罪せられる。全か、しからずんば無である。」

パヌルー神父の第二の説教はまだ少し続きますが、メインの主張はここまでです。こういうふうに物語の進展によって、登場人物の考えが変わっていくのが小説のダイナミズムですし、神の問題をテーゼ―アンチテーゼ―ジンテーゼと発展させるのは作者の思考力の強靭さですよね。

ササキさん　理解ができてないかもしれないので、確認させて下さい。パヌルー神父がカトリックの立場からすれば異端になりかけているというのは、「ペストには神の意思があると捉えていたのに、そうは思えなくなった」という点ですよね？

どちらも神の意思はあるのです。だけど、パヌルー神父の第一の説教だと、「ペストによって死ぬことは救済なんだ」という構成ですよね。第二の説教になると、「神の意思は分からないんだ」と言っているわけです。つまり、神をわれわれは理性で捉えることができない、というところまでパヌルー神父は来たんですよ。カトリックにおいては、信仰と理性は調和していますから、理性の力によっても神に至ることができる。理性を超えた神の意思がある、というのはカトリックにとっては異端で、もちろん無神論ではなく、典型的なプロテスタンティズムだということです。

ササキさん　「ペストは神の意思であり、それを受け入れて死ぬのは救済だ」とするのがカトリック的で、そうではなくて、「このペストの意味は分からない、解釈はできない」とするのがプロテスタント的。

そうです。ペスト禍が起きているのは事実ですよね。そして、この世界は神の支配の下にあるし、神はわれわれを救済してくれることは確実なのです。ですが、神がなぜペスト禍を起こしたのかは分からない。そもそも、われわれの限られた知識によって、神が考えていることは知ることはできないのだ。それがプロテスタントの立場です。

ここは、中世からずっとカトリックとプロテスタントが対立するところなんです。「無限を包摂する有限」という考え方があります。有限のものであっても、無限なものを包み込むことは実は可能なのだ、という考え方で、カトリシズムはこれに近いんです。細かく言うとプロテスタントではルター派もこの考えをとります。それに対してプロテスタントの改革長老派（カルバン派）は、有限は無限を包摂し得ないという考え方をする。いま言ったように、有限なる人間の知恵では無限なる神について知ることはできない。別の言い方をすれば、信仰と理性を調和的に理解するか、信仰と理性は断絶しているんだと理解するか、その根本の違いですね。

パヌルー神父は、最初は調和的に理解していたのです。いまオランで起きているペストの流行も合理的に説明できると考えたのですが、最後は説明できないとなった。信仰と理性の関係を遮断したことが、カトリックからすると異端になったのです。ここでのパヌルー神父は、二〇世紀スイスのプロテスタント神学者カール・バルトの「人間が神について語る宗教を止め、神が人間について語ることに虚心坦懐に耳を傾けよ」というテーゼに極めて接近しています。

プロテスタントの変化

クニヒロさん　いまの方の付け足しのような質問ですが、具体的にカトリック的信仰とプロテスタント的信仰の相違点を教えていただけませんでしょうか？　理性と信仰の一致・不一致というのは……。

いくぶん繰り返しになるかもしれませんが、漆塗《うるしぬ》りのような説明をしてみましょう。プロテスタントは基本的には理性を信用しないんです。何を信じるかというと、神からの啓示です。啓示というのは、「隠されたものが明らかにされる」ことですね。あくまでそれ一本で行く、というのがプロテスタントなんです。それに対してカトリックは、啓示と理性の二本立てなんです。理性を正しく使用すれば、それは必ず神に至る、と考える。

比喩を使って説明してみましょうか。

ユダヤ・キリスト教的な神は「動く神」なんですね。英語で言えば、beingとしての神ではなく、becomingなのです。神は常に動いて、生成しているんですね。これをカトリック教会はアリストテレス哲学で説明したわけですよ。アリストテレス哲学における神は「第一質料」といって、全てのものが出てくる根源的なもので、動かないものです。動くものを動かないもので説明するのは、いわばスチール写真で映画を表現するみたいなもんですね。でも、スチール写真によって動きを表すことは一応できるわけです。

そんなふうに、「写真によっても、映画を知ることができる」というのがカトリック的な考え方ですが、プロテスタントは「写真に写っている像は、まやかしの像である。真実の動いている像は、決して私たちに知ることはできない」という考え方なのです。ですから、プロテスタントにおいては、信仰と理性が調和的ではない。

プロテスタントの方が復古主義で反知性主義なんですね。こういう反知性主義的なプロテスタンティズムを、「古プロテスタンティズム」と呼びます。これは一六～一七世紀のプロテスタンティズムです。

ところが一八世紀以降、変容するんですね。啓蒙主義が世の中の主流になってくると、ガリレオ・ガリレイやコペルニクスの世界像をプロテスタントは受け入れました。「神様がどこにいるか？」と問われると、カトリック教会や古プロテスタントは「天上にいる」と答えていた。しかし、天上というのは、地球が球体である以上、ナンセンスですよね。日本から見て上は、ブラジルから見ると下になる。こういうナンセンスな概念はなくさないといけないと、「神は心の中にいる」としたわけです。つまり、神の場所の転換をしたのです。

そうすると、信仰は内面化します。神の場所も内面化すると同時に、この世の事柄についても、「これは人間的な事柄なのだから構わない」とプロテスタントは手放しで理性を受け入れていくようになりました。だから、現在のプロテスタントを見ると、プロテスタントの方が進歩的で、かつ資本主義と親和的で、カトリックの方が理性に対して後ろ向きのように感じるのだけれど、そもそもはプロテスタントは極端な反知性主義だったんです。

それが、理性でぎりぎりまで努力して、もうこれ以上は無理だという限界線まで行った後、そこを飛び越える、という姿勢に転じたのですね。パヌルー神父はそのぎりぎりまで行って、ついに飛び越えたから、リウーが異端だと思ったわけだよね。最初の入口からすぐ飛び越えてしまったのでは神秘主義になるし、新興宗教や自己啓発セミナーは特徴的にそれをやらせているわけです。「この石鹸を売れば幸せになります」と言われて、最初から石鹸を売ることだけで頭が一杯になるわけでしょう。そこには合理性や理性が絡んでいない。

もう一点だけ、『ペスト』について付け加えておきます。今回の新型コロナウイルスの騒ぎは第何波まであるか分かりませんが、ワクチンができるなりして、やがて終息するでしょう。しかし、それは決定的な勝利ではありえない。昨日触れた『ペスト』の末尾で、リウー医師が「決定的な勝利の記録ではありえないことを知っていた」のと同じです。新型コロナウイルスの流行も何となく終わり、世界中で喜悦の声が挙がるでしょう。しかし『ペスト』のラストでは、「リウーはこの喜悦が常に脅やかされていることを思い出していた」。つまり、「ペスト菌は決して死ぬことも消滅することもない」、つまり家具や穴倉などの中で辛抱強く待ち続けて、いつかまた「人間に不幸と教訓をもたらすために」流行するだろう、というのです。これはおそらく新型コロナウイルスにも当てはまることでしょうね。やはりカミュというのはすごい作家で、七〇年以上前に書かれたものが、冒頭から末尾まで、現在とまったくアナロジカルに読めてしまいます。
よし、『ペスト』を一緒に読むのはここまでにしておきましょう。みなさんはこれでキリスト教の構成を知ったわけですから、独りでもう一度読み返してみてください。そのへんのフランス文学を学んでいる大学院生より『ペスト』埋解が深まっていると思いますよ。

死者数を問うことは

それでは、ホブズボーム『20世紀の歴史』に戻りましょう。昨日、「問5」で出した「第二次世界大戦による損失」について、解説しておきたいと思います。上巻一〇八ページの九行目から読んで下さい。

「第二次世界大戦の損失は、文字通り計算できる程度では済まない。おおまかな計算すら不可能だ。それは、この戦争が（第一次世界大戦と異なり）戦闘員と同じように躊躇なく民間人を殺害したからであり、そのなかでも最悪の事態は、誰ひとり損失を計算したり配慮できない場所・時間に起きたからだ。この戦争が直接の原因となった死は、第一次世界大戦の（推定）死亡者数よりも三―五倍多いと見積もられてきている（Milward, p.270 : Petersen 1986）。言い換えると、ソ連・ポーランド・ユーゴスラヴィアの全人口の一〇―二〇％、ドイツ・イタリア・オーストリア・ハンガリー・日本・中国の四―六％に相当する。英仏の犠牲は第一次世界大戦よりもずっと少なく約一％だったが、アメリカではいくぶん高かった。そうはいっても、これらは推測にすぎない。ソ連の犠牲者は幾度となく数えられてきており、公式には七百万、一一〇〇万、もしくは二千万、五千万程度という概算もある。いずれにせよ、数がこれだけ天文学的である場合に、統計的な厳密さはなんの意味ももたない。もし歴史家が、ホロコーストの死者数を六百万ではなく五百万、あるいは四百万と訂正したら、ホロコーストの恐怖は軽くなるのだろうか（六百万というのがもとの推計だが、大雑把かつ間違いなく誇張されている）？　ドイツによる九百日にわたったレニングラードの攻撃（一九四一―四四年）で、飢餓と消耗により死亡した数が百万人、七五万人、五〇万人のどれであるか、重要な意味をもつだろうか？　そもそも、物理的に直観でわかる現実を超えてしまう数字を、しっかり理解することができるのだろうか？　この頁をめくっている平均的な読者にとり、ドイツで捕虜となった五七〇万のロシア人のうち三三〇万人が死亡したことは、どんな意味をもつのだろうか（Hirschfeld 1986）？　第二次世界大戦の犠牲者について唯一確かなことは、全体的にみて女性より男性のほうが多く殺害されたということだけである。ソ連では一九五九年の段階でもまだ、三五―五〇歳の女性七人に対し、男性は四人という割合だった（Milward 1979, p.212）。建物は、生存者よりも簡単に再建された。」（傍点原文）

フクモトさんに訊きますね。日本の場合、この死者の数が一番問題になっているのは何？

フクモトさん　原爆の被害者？

原爆の被害者の数も天文学的と言っていいでしょうが、そんなに大きな政治問題化はしていないでしょう。

フクモトさん　ああ、南京事件。

そうだね。例えば東中野修道さんなどは、南京で虐殺された数はゼロ人と言っていますからね。ご承知のように、大小いろんな説があります。どうしてかと言うと、いわゆる便衣兵、民間人のように装って戦闘行為、スパイ行為をする者を殺害することは戦時国際法上、認められている、という理屈です。だから、日本軍が殺したのはみんな便衣兵だという理屈に立つと、ゼロ人説のような極論も成り立つわけだよ。けれど、そんな極論はともかく、南京事件で殺されたのが何十万人なのかというのは、実はあんまり意味がない。要するに、「多くの人が殺されたという事実」だけで充分だ、とホブズボームは言っています。

重要なのは、例えば南京で四〇万人殺されたというのはウソで、殺害したのは一万人だとしても、それだったら虐殺にならないのか、ということです。それはそういう話じゃないよね。ホブズボームの指摘するように、正確なことに拘《こだわ》ろうとしても、せいぜい、死んだのは男のほうが女より多い、という程度のことしか確定できない。戦場で死んだのは男性が圧倒的に多いから、これは断定できますからね。

つまり、「南京事件で何人死者が出たか？」と問うこと自体が、ナンセンスな命題だってことです。まして史上最大の総力戦の下で、どこまでが戦闘行為による死者か、どこまでが民間人の巻き添えか、それは分けられないでしょう。広島・長崎でも同じことです。ただ、天文学的な数の死者が出た。こういうところも、虚偽問題にわれわれが煩わされないようにするために、ホブズボームから学ぶべき姿勢ですね。

戦間期経済に未来を見る

では、次は戦間期の経済について、同じく上巻の二一〇ページの頭から読みましょう。ここをなぜ読むかと言うと、過去の出来事を読み解くことによって、近未来に新型コロナが何を引き起こすかを検討したいからです。

今後アメリカで何が起きるかが重要だという構造は、戦間期の経済と一緒ですよ。この箇所は、近未来のわれわれが遭遇しうることの一つのシナリオ、一つの原形として読んでみましょう。

「戦間期、資本主義経済はなぜうまく機能しなかったのだろうか？　どんな回答をするにせよ、アメリカの状況が重要であることは間違いない。ヨーロッパ――少なくとも交戦国――の経済的問題の一端が戦中・戦後の混乱にあったと仮定できるが、アメリカの場合、決定的な形で短期間参戦したことはあっても、戦争自体から距離をとっていたからだ。その結果、第一次世界大戦はアメリカ経済を破壊するどころか、第二次世界大戦同様、目を見張るほどの恩恵をもたらした。一九一三年には、アメリカは世界最大の経済大国になっており、世界の工業生産の三分の一以上を担っていた。これは、独英仏の工業生産の合計をやや少し下回る程度である。一九二九年には、この三つのヨーロッパの工業大国が世界の工業生産に占める割合が二八％を切っていたのに対し、アメリカは四二％以上を生産していた（Hilgerdt 1945, Table 1.14）。これは本当に驚くべき数字である。具体的には、一九一三―二〇年にかけて鉄鋼生産がアメリカでは約四分の一増えたのに対し、他の地域では三分の一ほど減っていた（Rostow 1978, p.194, Table Ⅲ. 33）。要するに、第一次世界大戦が終わると、第二次世界大戦同様にアメリカ経済は、多方面において世界を席巻するようになった。このアメリカが優勢な状況を一時的に遮ったのが、大恐慌だった。

第一次世界大戦は、アメリカの世界一の工業生産国という地位を強固なものにしただけでなく、世界一の債権国にもした。戦時中、イギリスは国債投資の四分の一を、とくにアメリカに投資していた分を失った。軍需品を買うために売却せねばならなかったのだ。フランスは国債投資の半分を失ったが、その主な原因は、ヨーロッパで起きた革命と崩壊だった。他方、債務国の状態で参戦したアメリカは、戦争が終わった時には国際的に主要な債権国に転じていた。アメリカは投資をヨーロッパと西半球に集中させていたため（アジア・アフリカへの投資では、イギリスがまだ他国に大差をつけて一番多かった）、そのヨーロッパへの影響は絶大だった。

要するに、アメリカを抜きにして世界的な経済危機は説明できない。なにしろアメリカは、一九二〇年代には世界最大の輸出国であり、また、イギリスに次ぐ輸入国であったのだから。原材料と食糧に関しては、世界の主要商業国十五カ国の輸入品のうち、そのほぼ四〇％がアメリカへ輸入されていた。こうした事実は、大恐慌が生活必需品――小麦、木綿、砂糖、ゴム、絹、銅、スズ、コーヒー――の生産者にどれほど壊滅的な影響を与えたか明らかにするうえで重要である（Lary, pp.28-29）。同様に、アメリカは大恐慌の最大の犠牲者になる運命だった。一九二九―三二年のあいだにアメリカの輸入品が七〇％減ったとすると、輸出も同じ割合で減少した。一九二九―三九年にかけて、世界貿易は急降下したものの、それでも三分の一に満たなかった。ところが、アメリカの輸出はほぼ半分に落ち込んだ。」

ではカワタニさん、恐慌の原因って何だろう？

カワタニさん　この場合は、需要がなくなっちゃった。

なぜ、需要がなくなっちゃったんだろう？　それに、需要がなくなったのなら、需要に見合うところまで生産を減らせばよかったんじゃない？

カワタニさん　人が「欲しいな」と思っているものが行き渡ってしまったので、もう、これ以上欲しいというものがなくなってしまった？

人間の欲望って、ある段階までいったら、「もう、これ以上要らない」となるものだろうか？

カワタニさん　両方あるんじゃないでしょうか。満腹してしまう局面もあるし、欲望が肥大し続ける時もあるでしょうし……。

アメリカの大恐慌が起きたきっかけは、株価の暴落ですよね。そこで確かに買い控えは起きたけれども、やっぱりアメリカ人は消費への意欲は持っていた。ただ、消費したいのだけれど、失業したりして金がないわけだよね。だから、消費意欲の減退で恐慌が起きたというのは、整合性は付かないと私は思うんです。

恐慌の原因については、大きく分けると三つ、「需要減退説」と「過剰生産説」と「資本の過剰説」があるんですが、私は資本の過剰説がいちばん説得力があると思う。つまり、資本主義が発展していくと労働力不足が起きてくる。機械とか原料とかは何とかやり繰りできるんだけど、労働力は人間がつくり出しているものだから、すぐには強制的に手に入れられないんですよ。労働力不足になると、市場では何が起きますか？

カワタニさん　労働力の需要が高まるから、賃金が上がる。

賃金が上がるよね。賃金がある程度より上昇すると、どうなります？　例えば吉野家で考えてみましょう。今は新型コロナウイルスで、吉野家でもコンビニでも問題は解消されましたが、つい最近まで人手不足に悩んでいました。そこで、吉野家が時給二〇〇〇円にしたら、どうなります？

カワタニさん　牛丼の値段が上がります。

牛丼の値段を上げる方向で解決するだろうか。吉野家の牛丼が高くなると、お客は松屋やすき家へ行っちゃうかもしれない。

カワタニさん　労働力が足りない、でも単に賃金を上げるだけでは解決しない……。

だから、時給が二〇〇〇円になったら吉野家は潰れるかもしれない。例えば立憲民主党が「最低賃金を上げろ」と言っているけれども、今日の受講生の中に中小企業、特に地方で経営やっておられる方がいたら、そんなことをしたら経営が成り立たないのは分かるでしょう？　これはどうしてかと言うと、資本の過剰が起きているからなんです。

要するに、お金を持っているし、投資する先もあるけれど、賃金がネックになって儲からないんです。近代経済学でいうコストプッシュインフレーションに似ています。これは恐慌が起きることによってイノベーションが起きるという考え方で、私は恐慌の説明は、これがいちばん説得力があると思っています。宇野弘蔵の『恐慌論』（岩波文庫）が、このあたりを解き明かして、極めて優れた本ですよ。

そうすると、アメリカが恐慌から抜け出すのにニューディール政策が素晴らしく成功したというけれど、実はあまり関係ないんじゃないか。アメリカが恐慌から抜け出した本当の理由は、第二次世界大戦の大量破壊ですよ。大量破壊で極端な需要が出てきたからです。その効果が莫大でした。以後、アメリカの景気政策の中に「戦争」が入ってくるようになったのです。だから、アメリカは定期的に戦争するでしょ？　規模の大小はあれど、あれは公共事業の一部なんですよ。戦争をすることで、過剰な資本を処理しているわけです。

例えばイージス・アショアを、秋田県に置けるかどうかは分からないとして、あれ、効果あると思います？　ロシアの今の極超音速巡航ミサイルは、マッハ9ぐらいで飛んできますから、落とせないですよ。しかも、ミサイル技術はどんどん良くなっていくので、イージス・アショアも一度も使わなくても、たぶん五年ごとぐらいに新しいバージョンに更新していくと思う。だから、ああいう武器は機械と同じ生産財のように見えながら、その実、消費財なんです。技術が更新したらどんどんスクラップ化されていく。そのくせ、値段も高い。過剰な資本のはけ口としては非常にいいわけなんです。だから、資本主義システムの中に武器生産は組み込まれているんですね。

ただし、帝国主義国家同士がぶつかって、お互いの殺し合いになる戦争はできない。だから、地域紛争がいつも起きている、という構造になっているわけですね。このへん、歴史とマルクス経済学を結び付けないと見えてこないのです。私は主流派の経済学、近代経済学の本も読みますが、例えば「貨幣」などについても本質的に考えないし、恐慌についても現象面しか見ないから、構造的な背景まで踏み込めていません。これは裏返して言うと、マルクス経済学というのは歴史学なんですね。資本主義が生まれて以降という、ある特定の時代の内在的な構造をつかむという歴史学です。

では、午前中の授業はここまでにしましょう。午後は二日間の講座の最後のコマになりますが、大恐慌に続く時代、ファシズムから始めたいと思います。
では、これまでの授業を踏まえた問題です。
問6 「民主主義と独裁は矛盾しない」という言説について説明せよ。二〇〇字くらいで纏めて下さい。
問7 各国の新型コロナウイルス対策において、行政権が司法権、立法権に対して優位になっている原因について説明せよ。二〇〇字くらいで。
問8 ペストの実態を知ることによって、パヌルー神父の信仰観はどのように変化したか。これは三〇〇字くらいで書いてみて下さい。
昼休みが終わる二〇分前までに提出して下さい。

Ⅳ　危機の世紀のセーフティネット

ファシズムが台頭する

では、ファシズムに入っていきます。やはり、新型コロナウイルス以降の時代とアナロジカルに読めていけるはずです。『20世紀の歴史』上巻二四六ページの「Ⅱ」から。

「ファシズムの運動と偽りなく呼びうるものは残った。そのなかでもまず挙げられるのは、ファシズムの名付け親であるイタリアでの運動で、キリスト教を裏切った社会主義者でジャーナリストのベニート・ムッソリーニがつくったものだ。ベニートという名は、聖職者と対立したメキシコ大統領ベニート・フアレス（Benito Juárez）に敬意を表してつけられた名だ。かれは出身地ロマーニャの教皇政治と激しく対立し、その象徴的存在となっていた。アドルフ・ヒトラー自身、ムッソリーニに恩があることを認め、尊敬の念を示していた。ムッソリーニとファシズムのイタリアが第二次世界大戦で弱さと無能を晒している時ですら、その気持ちは変わらなかった。かわりにムッソリーニは、最後の段階になって、ヒトラーから反ユダヤ主義を受け継いだ。これは、一九三八年以前のムッソリーニの運動だけでなく、統一後のイタリアの歴史にもまったくなかったものだ。イタリアのファシズムは、余所で起きている同様の運動を支援、資金を提供しようとし、また、ウラジミール・ジャボチンスキー（Vladimir Jabotinsky）のように、予期せぬ方面で影響された者〔も〕いた。ジャボチンスキーは、「修正主義」シオニズムの祖であり、これは、メナヘム・ベギン（Menachem Begin）政権下で一九七〇年代にイスラエル政府になった。しかし、イタリアのファシズムだけでは他国を惹きつけることはなかった。」

『20世紀の歴史』と同じちくま学芸文庫にロマノ・ヴルピッタの『ムッソリーニ』という本があります。著者は京都産業大学で長く教授を務めたイタリア人ですが、ムッソリーニの評伝として国際水準でも極めて優れた作品なので、推薦しておきます。

ヴルピッタさんは保田《やすだ》與重郎《よじゅうろう》の研究家として日本に来たんです。つまり日本浪曼派の専門家で、日本浪曼派とファシズムが非常に似ているという作業仮説を立てている人です。

ホブズボームを続けましょう。

「一九三三年の早い時期でヒトラーがドイツで勝利しなければ、ファシズムが広範囲な運動になることはなかっただろう。実際のところ、イタリア以外で盛んになったファシズム運動が始まったのは、ヒトラーが政権についてからである。とりわけ、ハンガリーの矢十字党とルーマニアの鉄衛団がそうだ。矢十字党は、ハンガリーで初めて行われた秘密選挙（一九三九年）で二五％の票を獲得し、鉄衛団の支持はさらに大きかった。実のところ、ムッソリーニが事実上すべて資金を援助した運動――例えば、クロアチアのアンテ・パヴェリッチ（Ante Pavelich）率いるテロリスト集団ウスタシャ――は、それほど支持されなかった。イデオロギーがファシズム化するのは一九三〇年代に入ってからで、その頃には、ドイツにもインスピレーションと資金を求めるようになっていた。この例に留まらず、ヒトラーのドイツでの勝利なくしては、ファシズムを世界的な運動ととらえる思想――国際共産主義運動の右派版のようなものであり、ベルリンはモスクワのような位置づけ――は発展しなかっただろう。」（傍点原文）

ここに関して私は少し意見が違って、ファシズムの中心になったのはベルリンではなく、スイスのローザンヌでしょうね。ローザンヌに Fascio International っていうのがあったんです。インターナショナルなファシズムの拠点はここでしょう。

ファシズムの理論は、例えばローザンヌ大学の経済学者ヴィルフレド・パレート――経済学で出て来る「パレート最適」のパレートです――はじめ、近代経済学のローザンヌ学派が支柱になっていたから、知的な水準は相当なものでした。ナチズムは知的には本当に寄せ集めだけどね。ナチズムの知的いい加減さと、それとは反比例するような扇動力の強さについては、『この不寛容の時代に　ヒトラー『わが闘争』を読む』にまとめたので読んでみて下さい。

「第二次世界大戦中を除き、この思想から本格的な運動が生まれることはなかった。戦中は、ドイツ占領下のヨーロッパ各地にいる対独協力者に思想的な動機を与えた。この点では、革命に猛反対する伝統的右翼でも、わずかしか従わなかった。とくにフランスではそうだった。かれらはナショナリスト以外の何者でもなかったからだ。なかにはレジスタンスに加わった者すらいた。さらに、紛うことなき成功を収めて台頭しつつある覇権国家というドイツの国際的な地位がなければ、ファシズムがヨーロッパ以外の地域で深刻な影響を与えることはなかっただろう。また、ポルトガルのサラザール（Salazar）が、自分とヒトラーは「同じイデオロギーによって結ばれている」と一九四〇年に主張した時のように、ファシストではない反動的な支配者が、ファシズム支持をわざわざ装うこともなかっただろう（Delzell 1970, p. 348）。」

アントニオ・サラザールはポルトガルで一番古いコインブラ大学の政治経済学教授からポルトガルの首相になって、長く独裁体制を敷きました。スペインのフランコが台頭してくる中で、ファッショ化してヒトラーと連携しますが、同時にイギリスとも良好な関係を持って、最後はイギリスについたおかげで、戦後もしぶとく生き残ることになります。極めて興味深い政治家ですよ。

ファシズムと右翼

「多種多様なファシズムの共通点は、ドイツが主導権を握った、と一九三三年以後全般的に感じられたこと以外、簡単にはみつからない。ファシズムのさまざまな運動は、理性と合理主義は不適切、直観と意志こそ優越すると掲げており、理論は強みではなかった。ファシズムは、学界で保守が盛んな国々――まさにドイツが当てはまる――のあらゆる類の反動的な理論家を魅了したが、こうした理論家たちは、ファシズムを構成する要素というよりは、飾りのようなものだった。ムッソリーニは、イタリアのジョヴァンニ・ジェンティーレがいなくても何の問題もなかっただろうし、ヒトラーも哲学者ハイデガーの支持などおそらく知らなかっただろうし、知っていたとしても気にかけていなかっただろう。ファシズムを、国家コーポラティズムのような国家編成の一形態としてみることはできない。ナチス・ドイツがこれに関心を急になくしたのは、ドイツを統一された単一民族共同体とする考えと衝突するからこそだった。当初イタリアのファシズムには、人種主義のような明らかに中心を占める要素すらみられなかった。ぎゃくに、すでに述べた通り、ファシズムはナショナリズム・反共産主義・反自由主義という点で、右派の非ファシストたちと当然同じだった。なかには、街中での暴力行為としての政治を好んだことが、ファシズムとの共通点になっていた場合もあった。とくに、フランスのファシストではない反動的な人々がそうであった。

ファシストの右派と非ファシストの右派との大きな違いは、ファシズムの場合、大衆を下から動員することで存在した、ということだった。」

ここが一つのポイントになります。ファシズムがいわゆる右翼と違うのは、ファシズムはかなり広範に大衆を動員して圧力をかけることができることなんですね。だから、在特会とか、ある種の評論家やコメンテーターをファシスト呼ばわりするのはレトリックに過ぎなくて、数十万人単位の動員ができるような力がないとファシズムは成立できない。となると、日本でそれをやり得る力を持つ勢力ってあるだろうか？

創価学会は、選挙ではかなり締め付けるよね。ファッショ的な下からの自発性もあるし、動員型のこともする。でも、「ここに集まった者が仲間だ」と言って集まってくる感じとは違うと思うな。

例えば、反原発運動なんかはそういう要素があったでしょうね。それから学生たちのSEALDsもそうだったでしょう。それから沖縄での県民大会とか、辺野古の基地の反対とかの運動にも、そういう傾向がある。要するに、組織的に動員をかけなくても、下からの動きで広範な大衆が集まってくる。でも、これはファシズムではないんですね。国家主義的な運動とか、右派的な運動じゃないから。そう考えると、日本ではファシズムのような下からの国家主義的な運動はでてこないんじゃないか、という大きい問題があるわけです。

この問題に踏み込んで考察しているのが慶應義塾大学の片山杜秀《もりひで》さんです。彼の『未完のファシズム』（新潮選書）の考え方によると、ファッショというのは本来、トップは全権を持つ。イタリアだったらムッソリーニ、ドイツはヒトラー、ソ連だったらスターリン、スペインだったらフランコが全権を握って、全てを牛耳っていく。でも、日本の場合は天皇がいるから、天皇の代わりになることは誰にもできないシステムになっているんだと。

もし、日本でファシズムが成立するとすれば、天皇自身がファッショ化するしかない。しかし大日本帝国憲法下の天皇は、統治権の総攬《そうらん》者ではあるけれど、実際の政治は司《つかさ》の人たちが担って、それを承認するだけであり、意思決定機能を持っていないわけ。だから、天皇を掲げる国家の組み立て上、必然的に日本ではファシズムは起きないんだ、という主張です。ファシズムもどきは起きるけれども、最終的にファシズムにならない最大の障害が天皇だと説得力をもって描いている非常に興味深い本です。もう一冊、片山さんの本で『皇国史観』（文春新書）という新書も挙げておきましょう。これは水戸学が、明治以降どういうふうに変遷して、いわゆる皇国史観ができていったかを追った本で、これもまた日本において、なぜファシズムができなかったかを考える上で良いヒントになります。

戦後、丸山眞男が「日本ファシズム」ということを盛んに言ったから、軍部によるファシズムがあったんだとなっているけれども、内実を見ると軍の内部もガタガタだし、日本の場合、ファシズムのように一つの権力に束ねられたって感じはしないよね。

犠牲者を取り込んでいく

先へ行きましょう。

「そして本質的にファシズムは、伝統的な反動主義者が非難し、「有機的国家」の擁護者たちが避けて通ろうとした民主的かつ民衆による政治の時代のものだ。」

重要なことは、ファシズムは民意を代表しているということです。ただし、いちいち選挙によるわけではない。では、民意をどうやって吸収する？　それは、拍手と喝采によるんです。大勢の人間を集めるでしょう。「これでいいか？」「異議なし」って、拍手して喝采するスタイルです。このスタイルは全共闘が継いでいましたね。あるいは東大の五月祭委員会は、手を挙げた人が委員になるんです。それがファシズムなんだ。分かる？　ファシズムの基本的なやり方は、選挙によって選出されるのではなく、やりたい人が手を挙げて、指導部をそこから選んでいく。そして、そこでの決め方は基本はコンセンサス方式、すなわち満場一致です。つまり、多数決原理を採らず、拍手と喝采ということになるんだよね。

だから、全共闘運動が出てきた時、戦時中にひどい目に遭った大学教授たちがなぜあまり共感を覚えなかったかと言えば、スタイルが大政翼賛会とか、軍部の青年将校たちに似ていることを皮膚感覚的に察知したからですよ。

ファシズムにおいては、自発性がある人が拍手と喝采によって民意を吸い上げていく。このスタイルは、例えば自粛警察なんていうのにも現れていると思うんだ。自粛警察をしている人たちは、自発的に手を挙げて、ある意味で民意を代表していると思っているわけでしょう。ああいうところにファシズムの萌芽はあるけれども、それを束ねていくトップが出ないということが、日本でファシズムが生まれない防波堤になっているのです。

「また、ファシズムは権力を手にした時ですら喜んで大衆を動員し、共産主義運動同様、それを公の舞台で象徴的に維持した。例えばニュルンベルク党大会や、バルコニーで話すムッソリーニの身振り手振りを見上げるヴェネツィア広場の大衆が挙げられる。ファシストは、反革命の革命家だったのだ。このことがよく表れているのは、自分は社会の犠牲者だという意識をもつ者への弁論での訴え、まったく新しい社会の要求、社会革命のシンボルや名前の慎重なアレンジである。最後の点は、ヒトラーの「国家社会主義ドイツ労働者党」が（修正を施した）赤い党旗をもち、一九三三年にメーデーを公式な祝日としてすぐに定めたことからも一目瞭然である。」（傍点原文）

　ヒトラーのナチス（ナチ党）の正式な党名「国家社会主義ドイツ労働者党」は欲張りで、国家ということで国家主義者を糾合し、社会主義で社会主義者を呼び込み、ドイツでドイツ人を統合して、労働者で労働者を束ねる。ありとあらゆるものを名前の中に入れているわけだよね。旗も赤旗で、そこには鉤十字が入る。反共だから資本家とも手を組めました。それに加えて、ヒトラーが強調したのは、「自分は社会の犠牲者だ」という意識を持つ者への弁論ですよ。「俺は今の社会に傷つけられている」「俺は社会の中の少数派だ」と、虐げられている気持ちを持っている人への訴求力が強くあったんです。こういう人たちは、経済状態が悪い時代には増えてきますよね。彼らを動員できるのもファシズムの核です。

　ちなみに、安倍晋三さんはこの「自分は社会の犠牲者だ」という心情を実は色濃く持っている人ですよ。自分たち保守派は、左派やリベラル派が強い時代に、長く虐げられてきた。戦後ずっと虐げられてきた人びとの代表なんだ、という主観的な意識が強いように思えます。そんな安倍さんの意識や心情が、「時代や社会やマスコミに虐げられている」といった犠牲者意識を持っているネトウヨみたいな人たちとシンクロしていたわけです。

常に敵をつくり出す

ホブズボームはそういった現象にも触れていますよ。

「似たようなことは他にもあった。ファシズムは過去の伝統への回帰というレトリックをお手の物とし、できることならこの一世紀を消してしまいたいと心から望むような人々から大きな支持を得た。にもかかわらず、まったくといっていいほど伝統主義的な運動——例えば、スペイン内戦でフランコの支持母体の一つとなったナヴァーラのカルロス主義者、ガンディーによる手動機織りへの回帰と農村の理想を謳う運動——ではなかった。ファシズムは多くの伝統的な価値観を強調したが、これはまた別の話である。ファシズムは、女性は家庭にとどまり、多くの子どもを生み育てるのが義務と主張したように、自由主義的な解放を非難した。また、近代文化、なかでも芸術面でのモダニズムが社会を蝕んでいく様に不信感を抱いていた。モダニズムを、ドイツの国家社会主義者は「文化的ボルシェヴィズム」で堕落的だと評した。それでも、ファシズムの主流、つまりイタリアとドイツのファシズムは、教会と王という保守的な秩序を歴代守ってきた人々に訴えかけることはなかった。それどころか、完全に非伝統的な指導者のあり方——自力で出世する男性像に体現されており、大衆が支持している——と世俗的なイデオロギー——時には個人崇拝——によって、教会と王の地位を奪おうとした。」（傍点原文）

ヤノさん　いまのお話の、ファシズムが「犠牲者意識」に訴えることについてですが、もしファシズムがうまくいって、社会が豊かになったり、少なくともそんな犠牲者にとって良い方向に進んだりすれば、犠牲者は減ってきて、ファシズムがだんだん成り立たなくなるのではないでしょうか？

いや、常に敵をつくり出していくから大丈夫なんですよ。ファシズムは戦闘の精神が必要だからね。常に敵をつくり出し、「自分たちは犠牲者である、被害者である」という物語をつくり続けるんです。仰るように、みんなが満ち足りてしまったら、ファシズムは成り立たないのです。だから、満ち足りない状態の人たち、何かに対して怒ってる人たちを継続的につくり出していくってことが、ファシズムにおいてはとても重要なんです。

ヤノさん　逆に言うと、新型コロナウイルスの余波で、社会が激動し、犠牲者意識を持つ人が増えてきたら、ファシズムが出やすくなるのでしょうか？

これは、そういうリーダーが出てくれば、可能性はありますね。いま、何だか社会にガスのような不満が溜まっているでしょう？　マッチを擦るタイミングと場所によれば、あちこちで爆発が起こりかねません。そんな時に、「悪いのは××だ」と言い切って、犠牲者意識・被害者意識を煽りながら、「われわれの力で変えるんだ」と主張する政治勢力が出てくると、ファッショ的な流れが盛り上がってくるかもしれない。

でも、最終的には今でもやはり天皇とぶつかってくると思います。何者かが最終的な国家全体の指導者、政治に留まらず魂を含めての指導者だとなると、それは天皇とぶつかってしまうから、片山さんが言うように「未完」で終わるでしょう。ファシズムは共和制とは相性がいいけれど、立憲君主制や君主制とは相性悪いんですよ。

その文脈でイギリスのことを考えればいい。戦前のイギリスでは一時、労働党からファッショ運動が出てきて、かなり強力になっていました。ところが、戦時中は彼らをマン島に幽閉してしまいます。この抑止力になったのが王室です。ファシズムと王室とはなかなか並び立たない。だからスペインのフランコは王様を追い出したし、脱フランコでスペインが民主化する時は、王様を呼び戻したのです。

日本についてもっと踏み込んで言うと、天皇神話を共有してない領域があるでしょう？例えば沖縄だよね。沖縄では、政治指導者によっては非常にファシズム的な流れが出てくるかもしれない。歯止めになる原理のないところで、共和制的な意識が強い地域が出てくれば、ファッショ的な運動が「未完」に終わらない可能性はあります。

ヤノさんはお祭りとか行きます？

ヤノさん　はい。行きます。町内会のとか。

町内会のお祭りって、いつぐらいからあると思う？

ヤノさん　この五、六十年？　戦後ですかね。

大体、戦後からですよね。古いと思われているお祭りでも、だいたい明治以降です。近代になって、つくられた伝統なんですよ。これは宮中行事もほとんどそうです。つくられた伝統によって過去を再解釈し、ナショナルなものをつくっていく。ファシズムというのは、近代につくられたナショナルなものを、さらに独自に過去を解釈し直すことでつくり替えていく。ここもファシズムの特徴ですね。

だから、例えば南北朝時代の南朝というのは、日本におけるファッショまがいの運動だったとも言えるわけです。これは近代以降でも、南朝の精神で北畠親房や後醍醐天皇などをどう評価するか、それは日本をまとめる新しいイデオロギーにできるか、という形でくり返し、甦ってもきます。

左翼をも取り込む力

「ファシズムが訴えた過去というのは、偽りの作りものだった。かれらの伝統は創作だった。ヒトラーの人種主義でさえ、切れ目も混ざりけも一切ない血統――それゆえ、一六世紀頃のサフォーク州のヨーマンから続く家系であることを証明したいアメリカ人は系図学者に仕事を委託する――を誇りにしていたわけではなかった。そうではなく、一九世紀末にダーウィンの死後登場した、遺伝学という新しい科学、より正確にいうと応用科学（「優生学」）の一派への支持を主張した（悲しいかな、その支持はドイツに集まることが多かった）諸説の寄せ集めだった。優生学は、血統を選別して不適者を排除することで、きわめて優れた人種を創造することを夢見ていた。この人種は、ヒトラーという人物を通して世界を支配する運命にあったが、一八九八年にある人類学者が「ノルディック」という言葉を造るまで、名前すらなかった。一八世紀の啓蒙主義とフランス革命の遺産に原則敵対したファシズムは、近代性と進歩を公に信じてはいなかった。しかし、ファシズムがその狂信的な信条と近代の技術的な面での近代性とを現実的なことで結びつけるのは難しくはなかった。ただし、それが科学の基礎研究をイデオロギー上の理由で機能不全にするような場合を除くが。ファシズムは意気揚々と自由主義に対抗心を燃やした。またファシズムは、狂信的な世界観をもつことと、現代の高い技術を自信をもって習得することとを、人間はたやすく結びつけられることの証明でもあった。この現象は、二〇世紀後半、原理主義者たちがテレビやコンピュータでの資金集めという武器を駆使するなかで、私たちにもお馴染みのものになった。」

ヤノさん　すみません、ファシズムとナショナリズムの違いはなんでしょうか？

ナショナリズムもファシズムも、過去の表象を利用していくという点は一緒です。実際の行動の際に、動員を行っていくのも一緒。ただし、排外主義の程度が違うんですね。ファシズムは内部へ束ねる力が強く、排外する度合いも強いんです。

もう一つ、ファシズムについて付け加えておくと、ファシズムと言うと日本では右翼みたいなイメージですよね。それは間違いではないけれど、左派との相性もいいのです。

右翼・右派、左翼・左派ってどこから来ている？

ヤノさん　フランス革命時の議会での問題でしたっけ？

フランス革命時の議会で、議長席から見て左側に座ってる人たちが左翼、右側に座ってる人たちが右翼です。左翼は革命をやった人たちで、啓蒙の思想を信じる。すなわち、合理的な考え方で社会は構築できると思っている人たち。それに対して右翼は、合理性には限界があると見て、伝統とか神の意思とかを重視する人たちですね。その点を見れば、ファシズムは右派です。ところが、右派・左派を分けるにはもう一つ、経済的な概念があって、自由主義的な形で資本主義的な格差拡大を認めるのが右派で、それに対して平等を志向していくのが左派なんです。そうなると、ファシズムの中には左派に親和的な部分が明らかにある。

例えば、国家社会主義ドイツ労働者党（ナチ党）内でヒトラーと対立したグレゴールとオットーのシュトラッサー兄弟はナチス左派と呼ばれます。グレゴールは「長いナイフの夜」で粛清され、オットーは亡命することになりますが、シュトラッサー主義という言葉があるんですよ。これは反ユダヤ主義ではあるのですが、人種としての反ユダヤ主義ではなくて、経済におけるユダヤ人の覇権を打倒するという趣旨なんです。そして労働運動のほうを強化して、共産党との連携なんかも考えた。ムッソリーニについて言えば、ムッソリーニ自身がイタリア社会党左派の出身ですから、ナチズムと比べると社会政策がそもそもかなり左派的なんです。だから、通常の右派・左派では仕分けできないのがファシズムの難しさ、面白さですね。

国民が税金に不満を持つ時

ここから、『20世紀の歴史』の下巻に移ります。二六八ページの「Ⅱ」を読みましょう。時代はずっと近づいて、八〇―九〇年代を扱っています。

ここまでは政治的な側面から、私たちの時代と「短い二〇世紀」を類比してきました。ここから先には今後、われわれの周辺で経済的に何が起きるかのヒントがあります。

「人的労働を駆逐するために経済が大幅に再構築され、不況と結びついたことで、重々しい緊張感が生まれた。その緊張感は、「危機の時代」の政治に一貫して存在することになる。この時代の人々は、完全雇用に慣れているか、そうでなくても就きたい類の仕事はどこかですぐ手に入るだろうという自信をもっているのが当たり前だった。一九八〇年代初頭のスランプで、製造業で働く人々の生活は再び不安定なものになった。しかし、イギリスのような国でホワイトカラーの専門職の大部分が、自分たちの職も未来も安泰ではないと感じたのは、一九九〇年代初頭のスランプがきっかけだった。この国でもっとも好調な部門の労働者たちのほぼ半分は、仕事を失うかもしれないと考えるようになった。この時代は、人間のみならず、すでに蝕まれて崩壊しつつあった昔からの生活様式も方向性を見失いそうな時代だった。「アメリカで起きた大量虐殺で、大規模なもの上位十件のうち（中略）八件は一九八〇年以降」で、実行犯はたいてい三十代ないし四十代の中年男性、「孤独・不満・怒りだらけの状態が長く続いてから」、失業や離婚などで私生活が破綻し、引き起こされたものが多かった。これは偶然なのだろうか？　こうした事件を助長したかもしれない「アメリカで育っている憎しみの文化」すら、偶然だろうか（Butterfield 199[illegible]）？　この憎悪は、一九八〇年代のポップ・ソングの歌詞で耳にするようになり、映画やテレビ番組があからさまに残忍さを増していくなかにもはっきり現れていた。」

一九八〇年代から九〇年代の危機的な状況に入ってきて、アメリカにおいては、銃社会だから大量殺人が頻繁に起きるようになった。それは何かに対しての怒りとか、孤独とかが理由になっている。憎しみの文化も目立つようになって、アメリカの映画や音楽などでは、憎悪やバイオレンスの比重が高くなってきたと。ホブズボームはポップ・カルチャーの面からも注目していきます。

「方向感覚の喪失と不安は、国家間の均衡――これに依拠することで、いくつかの欧米諸国の議会制民主主義は安定性が保たれていた――が冷戦で崩れる前ですら、先進諸国の政治構造にひびを入れ、変化をもたらした。経済問題が生じると、有権者はその時権力を掌握している政党や政権を非難する傾向にある。」

イワミさんに質問。なぜ経済問題が生じると、国民は時の政権を非難するのだろうか？

イワミさん　それまでは自分の欲望に忠実にしていられたのが、欲望を果たすための安定がなくなってきたから、非難するんだと思います。

そのとおりです。昨日も話したように、要するに代議制民主主義の下では、有権者は政治をしなくていいんです。経済だけをやっていればいい。あるいは文化で欲望を追求していればいい。欲望を追求することができなくなって初めて、政治に「何をやってるんだ？」という目を向けるわけですね。でも、みんなが政治活動に熱中すると、経済はどうなる？

イワミさん　ますます悪化します。

そう。すると、ますます「政治によって経済を良くしてくれ」という不満から政治に熱中するというスパイラルに入っていくわけですね。

「しかし「危機の時代」の新しさは、政府に対する反発が、反対派として世間に認められていた勢力に必ずしも恩恵をもたらさなかった点にある。負け組となったのは主に、西側の社会民主党や労働党だった。かれらは支持者を喜ばせるうえで、国民政府による経済的・社会的措置を主な手段としていたが、それは力を失ってしまった。他方、こうした支持者の中心となっていた集団は労働者階級だったが、かれらは細かく分裂した。新しい越境的な経済では、国内賃金は以前よりずっと海外との競争に晒されるようになった。」

つまり、海外の労働力の安いところに工場を移したり、グローバル化で外国人労働者が入ってきて、安い賃金で働いたりするというわけです。

あともう一つ、イメージと実際のもたらす効果に乖離のある場合があります。その端的な例が減税ですよ。減税は富裕層に有利？　貧困層に有利？

イワミさん　富裕層です。

明らかに富裕層に有利です。にもかかわらず、減税というスローガンを掲げると、かなりの数の貧困層は支持するよね。なぜだろう？

イワミさん　目の前のお金が欲しい……。

そうだね。要するに政府に対する信頼が薄いから、取りあえず手元にお金を持っておきたくなるんです。本来は、政府が「再分配政策をきちんとやっている」と説明して、国民が信頼すれば、「減税しろ」という声は貧困層からは出てこないはずですよね。実際、国民から減税の声が出てこない国もありますよ。どこだと思う？

イワミさん　フィンランドとか？

そう、ノルウェーとかスウェーデンなど北欧諸国です。少し経済を活性化するために減税しようかと政府が思っても、国民が反対するんです。減税なんかされて、福祉や雇用保険が薄くなったら嫌だということですよ。

私がモスクワ大使館に勤務していた頃、よくストックホルムへ出張していたんです。モスクワの日本大使館だと文書が到着する前に開封されちゃうから、東京からの文書はスウェーデンの日本大使館に送っていたんですね。しばしば外交クーリエとして、私は文書を取りに行っていました。

で、在スウェーデン大使館の連中にお土産を持って行くでしょ？　いちばん喜ばれたのはウオトカなんです。モスクワではウオトカ一本、外交官割引きで買えば二〇〇円くらいでした。それがスウェーデンへ行くと、一万五〇〇〇円になっていた。つまり一万四八〇〇円くらい税金をかけているわけ。

だから、不必要なものには重い税金をかけるんですよ。それで再分配をして、医療費もかからない、教育費もかからない、失業した場合はたっぷり手当てが出て、転職のための訓練も受けられて、再就職するまでに生活に困ることはない。そして、家の中で食べるのは非常に安上がりだけれど、外食はものすごく高い。こういう社会をつくっちゃうと、国民の税金に対する抵抗はほとんどなくなるわけです。

日本の税制の行方は

日本の今の税金は、既に中負担で低福祉になっています。ただし、医療に関しては北欧なみの高福祉です。介護に関しては、制度は整っているけれど、介護労働の現場が劣悪だから慢性的な人手不足が起きる。これを解消しようとすると、質の問題もある。でもね、私が「中負担、低福祉」だと言う最大の理由はなんだと思う？

イワミさん　学校ですか。

そのとおり、教育が問題なんです。今の日本の教育システムは、高校以上に進学するなら、塾を抜きには成り立たないでしょう？　ところが、その部分はすべて家計負担になっていて、かなり大変。

もともと戦後日本は「低負担、中福祉」でした。これは国がそうだった、というわけではありません。どういうことかというと、本来は国がやる福祉の部分を会社がやっていたからです。会社に入っている人は、中小企業も含めて恵まれていた。会社に入っていない、例えば非正規のシングルマザーの女性などには、昔からすごく厳しい国だった。あるいは路上生活に陥った人にも、とても厳しく、冷たい国だった。それが今、冷たくされる社会の周縁部がどんどん広がって行っているわけだよね。長年セーフティネットの役割を果たしていた企業が弱くなって、福祉機能をもはや果たせなくなっているからです。

そうすると日本は、いま選択を迫られているわけですよ。チョイスは二つで、「低負担、低福祉」で行く。すなわち税金はほとんど取りませんと。その代わり自分のことは、全部自分でしましょう。アメリカで、風邪をひいてお医者さんにかかると幾らぐらいかかると思う？

イワミさん　一〇〇ドル……一万円ぐらいですか。

一万円で済めばラッキーだと思う。ニューヨークあたりで、ちょっときれいな病院に行くと二〇万円ぐらい取られるでしょう。その代わり待合室もきれいで至れり尽くせりですよ。ただし、ちょっとした手術をして入院したら一〇〇〇万円ぐらいかかる。だから、アメリカの市販風邪薬はよく効くんです。医者へ行かないで、みんな売薬で治さないといけないから。だから、アメリカに出張する外交官仲間に「風邪薬買ってきてくれ」「お腹の薬買ってきてくれ」とか、僕らはよく頼んでいたものです。よく効く薬が多いからなんだけど、それだけ危ないってことだけどね。

堤未果さんが書いていたことだけれど、アメリカの自治体独自の医療保険に入っていた人の話で、がんに罹って、一回目は全額払ってくれた。それが再発したら通知が来て、「あなたのプランでは二回目はお支払いできません」と。「その代わり、安楽死プランの薬代二百何十ドルだったら払えます」という内容だったそうです。「低負担、低福祉」というのは、そんな感じになってくる。

もう一つの選択肢は、さっき言った北欧のような「高負担、高福祉」です。朝日新聞の記者で、最近北欧の取材してきた人に聞いたことですが、「佐藤さん、友達に案内してもらったんだけど、路面電車の中で高齢者に席を自発的に譲る人がいないんですよ」と。老人が乗ってくると、「おまえ、どけ！」って、当然の権利として命令口調で言うんだと。人びとの顔は決して明るくなくて、結構ギクシャクしているような気がしたと言っていました。北欧には北欧なりの問題はやはりあるわけでしょうね。

これは、みなさんが選択することですから、ぜひ考えてほしいんです。われわれは「低負担、低福祉」を選ぶか、「高負担、高福祉」を選ぶのか。今の「中負担、低福祉」は、制度が整っていないから、そのうち「高負担、低福祉」になってくると思います。

プロレタリアート以下の階層

では、テキストに戻ります。

「政府は国内賃金を保護しようとしたものの、その力は弱体化していた。同時に、不況の時期には、昔から社会民主主義を推してきた有権者の各集団では、関心が多様化した。各集団とは、職が（比較的）保障されている人、職が不安定な人、労働組合が結成されている古い地域や産業で働く人、労働組合がない新しい地域でそれほど危険に瀕しているわけでもない新興産業で働いている人、そして、「アンダークラス」まで身を沈めてしまった人で、運の悪い時代の犠牲者なのだが、どこにいても不評を買ってしまう層だ。」

タナカさん、アンダークラスって何でしょう？

タナカさん　下層とか、今で言えばネットカフェに泊まっている人たちとか、そんなイメージですか。

そうだね。そういう人たちは自分の努力だけで這い上がれないんだよね。これを明らかにしたのが、早稲田大学の橋本健二先生の『新・日本の階級社会』（講談社現代新書）です。彼の試算では日本の人口の八％ぐらいがアンダークラスになってしまっています。非正規の人たちで、資産もなくて、結婚もできていない。男性の場合、結婚したいと思っている人がほとんどだけれど、有配偶者率は二五・七％、四人のうち三人は結婚できていない。そういう社会構造的に下の方へ入れられる人たちが増えてきている。

プロレタリアートって、どういう意味だと思う？

タナカさん　労働者階級ですか。

賃金労働者階級、無産階級ということなんだけれど、これはもともと古代ローマの国勢調査の区分から来ているんです。資産の欄に「子どものみ《プロレス》」と書く人のことを「プロレタリウス」と呼んだんですよ。

経済的な事由で子どもがつくれない人は、労働力の再生産ができないわけですよね。「子どもという資産」もないわけで、だから「アンダークラス」なんです。プロレタリアートよりも下ということですよ。

プロレタリアートは、少なくとも家族を持って、あるいは婚外婚でもいいけれど、次の世代を持っていて、労働力を再生産していきます。これは資本主義が回るために必要なんです。アンダークラスはそれができないから、プロレタリアートのさらに外側だという位置づけになっている。

もちろん、これは自発的に子どもをつくらないという選択をしている人のことじゃないよ。ただ、自発的に子どもをつくらないと思っていても、実は、その主たる理由が経済的な事由になっていれば、ここに含まれることになります。アンダークラスが増えることは、労働力の再生産という資本主義に必要不可欠な要素が揺らぐことで、資本主義にとっても危険なことなんですよ。

「さらに一九七〇年代以降になると、（主に若い中産階級、もしくは若いか中産階級かのいずれかの）支持者の多くは、とくに「環境」や女性運動をはじめとするより特化した政治運動、いわゆる「新しい社会運動」のために、左派の主要政党を切り捨てた。そのため、政党は弱体化した。一九九〇年代初頭には、労働党政権と社会民主党政権は一九五〇年代並みに珍しいものになった。というのも、名目上社会党が率いている行政ですら、好むと好まざるとにかかわらず、伝統的な政策を捨てたからだ。」

ここは九〇年代の日本の政治にも当てはまりますよ。つまり、自社さきがけ政権です。自民党と社会党が一緒になるなんて、社会主義路線の終焉でしょう。村山富市社会党内閣ができた時、自民党は社会党の要求を丸飲みしたのですが、丸飲みした結果、社会党が変質したんですね。それで結局は、社会党自体が解体してしまった。社民党と民主党に分かれましたが、国会の三分の一議席以上をずっと持っていた強力な社会主義政党は、もう今後現れないでしょう。世界で起きていることが同時代的に日本でも起きていたわけです。

アイデンティティ・ポリティクスの困難

「この割れ目に足を踏み入れた新しい政治勢力は多様で、右派の外国人嫌いや人種差別主義者、分離を唱える党（主に民族的・国粋主義的な党だが、それだけに留まらない）もいれば、さまざまな「緑」の党やその他「新しい社会運動」まで、さまざまであった。新しい社会運動は、自分たちの居場所を左派のなかで主張した。なかには、国内政治で重要な立場を確立したものもあれば、時には地域的な支配を掌中に収めたものもあった。ただし、いずれにせよ「短い二〇世紀」が終わるまでに、古い既成勢力に取って代わる動きにはならなかった。他の政治勢力への支持は、激しく動揺した。そのなかでも、影響力のあるものは何らかのアイデンティティ・ポリティクスのために、民主的な市民による政治の普遍主義を拒み、結果的に、外国人や他者、そして米仏の革命の伝統を継承する、あらゆる人間を包摂する国民国家に対し、理屈抜きの敵愾心を共有した。以下では、新しい「アイデンティティ・ポリティクス」の台頭について考えてみたい。」

ワカスギさん、アイデンティティ・ポリティクスって何？

ワカスギさん　自己決定権を中心にする政治みたいなことですか。

自己決定権を中心にするのだけど、どういう自己決定権を言っているんだろう？

ワカスギさん　民族自決とか。

うん、日本でも例えばアイヌの自決権というのはありえるね。他にアイデンティティ・ポリティクスにおける自己決定権はあるかな？

ワカスギさん　宗教。

宗教もあるかもしれない。しかし、それは伝統的なものですね。新しいものだと？　例えば＃MeTooは？　あるいは、＃KuTooは？　女性の権利、働いている女性のアイデンティティだよね。それからLGBTというアイデンティティもあるでしょう。

ワカスギさん　マイノリティの自己決定権ですか。

そうだね。そうすると、例えば黒人の中のジェンダーはどうなるんだと。そこにもジェンダー問題はあって、女性の方が厳しい状態に置かれているだろう。さらにその女性の中で障害者と健常者がいる。その関係はどうだろう。こういうふうに分けていくと、どんどん細分化されます。そして、その利益を巡って、みんなで争うことになっていく。

その挙げ句、自分たちのアイデンティティ・ポリティクスを展開しようとして、いわゆる左派にいた人、今のリベラル派の人たちはバラバラになっていく傾向があるわけです。これが、アメリカの民主党が選挙で勝てない理由なんですよ。

日本はまだアイデンティティ・ポリティクスは、そんなに強くありません。ただ、萌芽的な運動として、私が前から言っているのは沖縄ですよね。それからＬＧＢＴでも明らかにアイデンティティの政治が生まれ始めている。#MeToo のことも、そのように感じます。時差として、アメリカとの差は二〇年ぐらいあるけれども、日本でもアイデンティティの政治は始まり始めている。これは結局、政治勢力の分解をもたらしますから、行政権の強化には実は都合がいいんだよね。要するに反対勢力が割れている方がいいからね。アイデンティティの政治の求める利益だけ、行政は吸い上げればいいのです。

例えば、かつてあった「年越し派遣村」って、どうなった？　湯浅誠さんが村長でしたよね。

ワカスギさん　いまは東大の先生でしたっけ。

東大の特任教授になっています。もちろん、「こども食堂」の支援など社会的な運動はやっているけれども、彼は加藤勝信さん（現・官房長官）なんかと良好な関係で、政府側の人と言ってもいい。

だけど彼が筋を曲げているとは私は思わないんです。具体的にある貧困の問題を解決するためには、お金もかかるし、政府の協力が必要だと考えたわけでしょう。そして政府の側も、彼の運動はイデオロギーに基づくものでなく、目の前にいる大変な人を助けないといけないという伝統的なヒューマニズムから来ていることを、実際に会ってみて気づいたわけですね。だから、政府の枠内で彼を応援しようと。

そうなると、湯浅さんの方でも、政府に応援してもらう以上、政治的な活動からは距離を置くよね。安倍（菅）政権打倒みたいな声を上げている人と一緒に活動したら、政府としても応援できなくなる。彼にとって重要なのは現場でしょう？　実際に苦しんでいる非正規の労働者とか、路上生活に陥っている人たち、彼らの居場所を確保するためには政府と手を握った方がいいという選択をしたわけです。その湯浅さんの気持ちはよく理解できます。でも逆に言えば、アイデンティティ・ポリティクスに対する国家による切り崩し方の一例と言えなくもないんだ。

湯浅さんは新型コロナウイルス問題で、正面に出てきて政府に対する異議申し立てをしてもおかしくないような人じゃない？　でも今は、そこは控えておいて、むしろ将来において社会活動をしていく人を東大生の中からつくっていこうと思っているんだろうね。

アイデンティティ・ポリティクスというのは、なかなか大同団結してまとまるのは難しいんです。それでもアイデンティティの政治をやろうとして、自分の政治目的を実現しようとすると、それは行政機関によって吸い上げられてしまうんですね。

ワカスギさん　その流れはファシズムと親和的なものでしょうか。

ファシズムとはあまり親和的ではないでしょう。ファシズムよりも、むしろステーティズム、国家主義と親和性があるかもしれない。国家機能の肥大、行政機能の肥大とは関係してくるでしょう。「おれについて来い」みたいな、何でもやってくれるパターナリズム国家の変形に近づいていくことはありえます。

では、ホブズボームはアイデンティティ・ポリティクスをどう見ていたか？

「しかし、こうした運動の重要性は、内容が建設的であったからというよりは、「古い政治」を拒絶したことにあった。もっとも手強い運動のなかには、この否定的な主張に本質的に基盤をもっているものもあった。例えば、北部同盟というイタリアで分離主義を唱える政党や、一九九二年の大統領選挙でテキサスの一匹オオカミの金持ちを支持したアメリカの有権者の二〇％がそうである。付け加えておくと、ブラジルとペルーの一九八九、一九九〇年の有権者たちも同様だ。かれらは大統領選において、それまで耳にしたことがないから信頼できるはずだ、と思った人間を大統領に選んだ。イギリスでは、一九七〇年代に自由党が単独、もしくは労働党から分離した社会民主党と同盟関係を結んで、またはそれと合併したのちに、二大政党のいずれかとほぼ同じくらい――いや、多くすらあった――の支持を得た。それからというもの、大規模な第三政党の出現を幾度となく阻んだのは、組織として選挙民を代表することのない選挙制度だった。一九三〇年代初頭、つまり再び不況に陥ってからは、政権を長く掌握していた既成政党――フランスの社会党（一九九〇年）、カナダの保守党（一九九三年）、イタリアの与党（一九九三年）――に対する有権者の支持が、一九八〇年代後半から一九九〇年代初めのように劇的に弱まったことはなかった。つまり「危機の時代」には、民主制が敷かれた資本主義国では、それまで安定していた政治構造が分解するようになった、ということだ。さらに、新しい政治勢力のなかでも成長の可能性がもっとも高いことを示したのは、大衆に迎合する煽動政治と際立って目立つ個人によるリーダーシップ、そして外国人への敵意が組み合わさったものだった。戦間期を生き抜いた人々が落胆したのは、当然だった。」

さまざまなリベラル層は分解し、しばしば排外主義やポピュリストと結びついた扇動政治が台頭してきていると。日本の場合も、野党が離合集散して弱くなって、その結果、消極的選択としての自公長期政権になった、という似た構造ですよね。

核家族の誕生

最後に家族のところに触れたいと思います。実は昨日の講義で（本書「Ⅱ　終わらなかった歴史の中で」七三〜七四ページ)、新自由主義が進む中で、共同体がコミュニティとアソシエーションという両面で弱くなっている、という頭出しをしておきました。このポイントはこれからますます必要に、あるいは切実になってくると思います。

共同体の弱体化をめぐって、近代や「短い二〇世紀」においてはどうしてきたのか、われわれはどうすることができるのか、そこをみなさんと考えることで今回の講座を終えたいと思います。

ホブズボームのページを戻して、下巻八九ページ。冒頭から行きましょう。

「前章(注・第10章「社会革命――一九四五―九〇年」)で述べたことを鑑みると、この文化革命に取り組むうえでの一番の手掛かりは、家族と世帯、つまり性別間・世代間の関係の構造にある。ほとんどの社会では、この構造が急激に変化するということは驚くほどなかったが、かといって、それが変わらないということでもなかった。さらに、家族と世帯の構造は、世界中、あるいは少なくともかなり広範囲でパターンが似通っていた。しかし、実際にはその逆が真であるかにみえていたし、それどころか、社会経済や技術的進歩を根拠にして、ユーラシア(地中海両岸を含む)とその他のアフリカとでは大きな違いがあると示唆されてきた(Goody 1990, XVII)。例えば、ユーラシアにおける一夫多妻制は、アラブ世界でとくに特権に恵まれた集団を除いてほぼ存在しなかったか、もしくは消滅したと考えられているが、アフリカでは盛んで、全婚姻の四分の一以上を占めると言われている(Goody 1990, p.379)。」

ポリガミー、一夫多妻制だけども、日本ではどうだろう？　私の子どもの頃、六〇年代あるいは昭和四〇年代には、まだいわゆるお妾《めかけ》さんの子って周辺に結構いました。今は少なくなっているよね。

そもそも日本では、明治に近代化する時に民法をつくって、一夫一婦制という制度ができたんです。ところが、例えば姦通罪は、日本の場合は一方的なものでした。男が婚外で性的関係を持つこと自体は罰せられなかった。ところが女性、妻の方は夫からの親告罪であれ、刑事犯として処罰される。そんな非対称性があったんです。これは完全な一夫一婦制とは言えませんよね。男性の側は事実上の一夫多妻制でいても制度的には罰せられない、という構成になっていたわけですから。

戦後になって姦通罪が廃止され、戸主権もなくなり、結婚も本人たち両性の合意でのみ成立するという制度になって、女性を家に閉じ込めるという形ではなくなったのだけれど、それでもまだお妾さんを持つことは社会的に暗黙の了解を得ていた面があります。そんなことが大っぴらにできなくなったのはバブルの時期ぐらいからだと思いますよ。

ともあれ、日本でも一夫一婦制が強くなり、さらには核家族というシステムが強くなっていますね。では、ドイさん、核家族ってなんでしょう？

ドイさん　例えば両親の面倒は見ない、あるいは両親と同居せずに、自分と妻、あと子どもだけを見る。

それでいいです。アメリカの文化人類学者のマードックが一九四九年に出した『社会構造』（新泉社）、今や古典ですが、その中で初めて用いたnuclear familyという言葉の翻訳なんです。夫婦とその未婚の子からなる家族のこと。だから、おじいちゃんおばあちゃんは住んでいないし、子どもが結婚した後、同居しているのとも違う。この核家族が現代の都市における市民社会を成り立たせる基礎になっているんですね。核家族が崩れていくと、社会の様子がおかしくなっていくわけです。

一夫多妻制という文化

ところで、イスラム社会の一部富裕層においては、いまも一夫多妻制がありますが、何人の奥さんを持てると思う？

ドイさん　五人？

五人はダメ。イスラム法違反になります。四人まではOKなんだけど、だいたい三人なんですよ。なぜだと思う？

イスラム教の場合、結婚する時に離婚の条件を定めるんです。だから、だいたいの普通の結婚においては離婚できないぐらいの条件にするわけ。例えば離婚の慰謝料はラクダ一〇〇頭と黄金一〇キロと約束したら、本当にラクダ一〇〇頭と黄金一〇キロを用意しないと離婚できないんです。

では、イスラム教では売春はどうしていると思う？

ドイさん　えーと、確か死罪じゃなかったですか？

石打ちで死刑なんです。あれは時間がかかるし、痛いから本当にきつい刑なのですが、ところが聖職者が運営している結婚案内所というのがあるの。行くとアルバムを出されて、女性の写真がたくさん貼ってある。それで「この子と結婚したい」と指名したら、「ああ、この子は結婚時間二時間で慰謝料一〇万ですよ」と。

ドイさん　なるほどー（笑）。

これを時間結婚といいます。だから、時間結婚ができるようにしておかないといけないから、四人目は空けておくわけですね。

アフリカには露骨に一夫多妻制があるんだけど、「おれは一夫多妻制をやめようと思う」なんて言うと、妻たちが反対するんですよ。女性の労働の負担が、水くみから始まって、家事あり、農作業あり、他の労働もありで大変なんです。だから第一夫人は第二夫人に命令を下すんですね。すると第二夫人は第三、第四夫人に命令を下していく。一夫多妻制が生産の単位でもあり、その構成で回っているから、一夫一婦制を導入されると生産が成り立たなくなるんです。そんな構造的な問題もある。

それから戦後の日本のように、ソ連の場合にも市民婚と言って、必ずしも結婚登録をしない形態がかなりありました。それに対する差別は、ソ連では全然なかった。シングルの家の子どもだからって、学校でもキャリアでも差別はない。なぜだと思う？

あるいは、さっき言ったように日本でも戦後しばらくまで、非正規な、お妾さんみたいな女性のもとへ通う男性が結構いたけれども、何となく社会的に黙認されていましたよね。今は、不倫とか別宅、隠し子がいるのは大きなスキャンダルになる。これはなぜだと思いますか？

ドイさん　経済力がある者が、経済力のない者の面倒を見ることが容認されるため……でしょうか？

それだと、今でも同じはずですよね。でも今、経済力のある人が別宅を構えていたら、「週刊新潮」なり「週刊文春」なりのいい餌食になるでしょ？　ところがさっき言ったように、戦後しばらくは容認されていた。

これ、理由は簡単なんですよ。ソ連も同様ですが、戦争によって男性が大量に死んだからです。だから、男女比率が変わっちゃったわけでしょう？　おまけに、エマニュエル・トッドが言ったように長子相続制の尻尾があるから、家は男が継ぐという観念があるでしょう？そういう状況だったから、「お妾さんは黙認、庶子も差別なし」みたいな、事実上の一夫多妻制が容認されてきたのです。ところが、生活や社会が安定してくると、そのへんのモラルが厳しくなってきますよね。

　一方で、農業社会において女性の家事労働の負担は非常に大きい。大家族制の下だと一夫多妻制が成立していることが非常に助けになっている部分はある。現代のモラルだけ、あるいは欧米の考え方だけで判断できない側面は非常に大きいわけです。

　では、続きを読みましょう。


「しかしながら、人類の圧倒的多数には、あらゆる違いを超えて共通してみられる特徴が数多くあった。例としては、配偶者が特権的な性的関係を有する結婚という形式があること（「姦通」は世界中で罪として扱われる）、妻に対する夫の優位（「家父長制」）、子どもに対する親の優位、年少者に対する年長者の優位、家族が複数の構成員によって成立していることなどが挙げられる。同居ないし共同生活をしている集団・世帯がずっと多かったとしても、両親と子どもという世帯の基礎単位は、ふつう、どこかしらに存在していた。血縁のネットワークや、そこで互いに負っている権利と義務がどのくらいあり、どのくらい複雑なものであるかは関係ない。核家族は、一九・二〇世紀に欧米社会で標準的なモデルになったが、中産階級が成長するにつれ、もしくはなんらかの個人主義が育っていくにつれ、核家族より人数が多い家庭や血縁の単位から生まれたと考えるのは、産業革命以前の社会における社会的協同とその原理の本質が歴史的に誤解されてきたためである。バルカン半島では、スラヴ人のザドルガという家族共同体ともいうべき共産主義的な制度においてですら、「あらゆる女性は狭義の家族、つまり夫と子どものためだけでなく、順番がくれば、共同体の未婚女性や孤児のためにも働いている」(Guidetti/Stahl 1977, p.58)。家族と世帯にこのような核があるからといって、もちろん、それが存在する血縁集団や社会全体がその他の点でも似ている、というわけではない。」

では、ナワさん、この核家族が五〇年代後半以降、日本でも出てきた時、住宅にどういう変化が生じたと思います?

ナワさん　狭い住宅がメインになる。

具体的に言うと、団地の誕生だよね。今の基準からすると著しく狭いけれど、だいたい2DKで四二平方メートルで、当時においては自宅に水道とガスが通って、風呂があって、というのは夢の住宅だったわけです。やがて日本の経済成長につれて、郊外の戸建て住宅が出てきます。これも核家族化に対応したことです。住環境と家族制度は密接な関係がありますからね。大家族制度が残っている伝統的な農家が多い地方だと、二世帯、三世帯が住む大きな家は珍しくないわけです。

今、都市部で二世帯住宅が多くなってきましたが、二世帯住宅で内側で行き来できるとなると、たいていトラブルが生じるよね。だから、外から見てくっついているだけで、玄関は別、内部も別というのが最近は多いと思います。やはり、核家族という形が半世紀たって、日本においても染み付いた形になったわけです。だけど、その核家族が今、崩れ始めてもいる。

少子化の時代へ

もう最後ですから長く読みましょう。

「しかしいずれにせよ、こうした基本を成し、かつ長期にわたって維持されてきたあり方は、二〇世紀後半になると「発展した」欧米諸国において、急速に変わり始めた。とはいえ、欧米諸国の足並みが揃っていたわけではなかった。例えば、イングランドとウェールズ――やや大げさな例であることは認める――では、結婚と離婚の割合は一九三八年に五八対一だった（Mitchell 1975. pp.30-32）のが、一九八〇年代半ばには二・二対一組になった（*U. N. Statistical Yearbook*, 1987）。さらに、自由奔放な一九六〇年代になると、この傾向はさらに強まった。一九七〇年代末、イングランドとウェールズの結婚と離婚の割合は、一〇〇〇を超えており、これは一九六一年の離婚数の五倍に相当した（*Social Trends* 1980, p.84）。

この傾向は、イギリスに限られたものではなかった。実際のところ、目を見張るような変化が非常にはっきりとした形で起きたのは、カトリック国など、従順を強いる伝統的な道徳が存在する国だった。ベルギー・フランス・オランダでは、補正なしの離婚率（人口千人当たりの年間離婚件数）は、一九七〇年から八五年にかけてだいたい三倍に増えた。ところが、デンマークやノルウェーなど、こうしたことにかけては伝統的に自由な国ですら、同時期に離婚は二倍もしくはほぼ倍になった。なんらかの異変が欧米の結婚生活で起きていたことは明らかだ。一九七〇年代にカリフォルニアのとある婦人科クリニックに通院していた女性たちのあいだでは、「正式な結婚が大幅に減っており、子どもをもつことを希望する数も減り（中略）そしてバイセクシュアルへの適応を受け容れる方向へと態度が変わって」いた（Esman 1990, p.67）。この変化はさまざまな女性に横断的にみられたが、この時代より前にもあったのか、証拠があるかといわれると、カリフォルニアを含め、その可能性は低い。

ひとり暮らしをしている人（つまり、恋人や配偶者と一緒に暮らしておらず、家族とも同居していない）も急増した。イギリスでは、二〇世紀に入ってから最初の三十数年間、単身世帯は全世帯の約六％でほとんど変わらなかったが、その後、かなり緩やかではあるが増えていった。緩やかといっても、一九六〇―八〇年にかけて一二％から二二％へと増加、一九九一年までには二五％以上を占めるようになった（Abrams, Carr-Saunders, *Social Trends* 1993, p.26）。単身世帯は、多くの欧米の大都市で全世帯のおよそ半分にのぼった。反対に、伝統的な欧米の核家族、すなわち両親と子どもから成る世帯は、明らかに減っていた。アメリカの場合、核家族は一九六〇―八〇年の二十年で、全世帯の四四％から二九％へと減少した。一九八〇年代半ばのスウェーデンでは、新生児の母親のほぼ半分が未婚のままで（World's Women, p.16）、伝統的な核家族の割合は三七％から二五％へと下がった。一九六〇年の段階で、伝統的な核家族がまだ全世帯の半分もしくはそれ以上だった国ですら（カナダ・西ドイツ・オランダ・イギリス）、いまでは核家族が少数派になっていることは、否定しようがない。

特定のケースでは、核家族は建前としてももはや典型であるとはいえなくなっていた。例えば一九九一年のアメリカでは、全黒人家庭の五八％で独身女性が大黒柱になっており、未婚の母親のもとに生まれた子どもは七〇％にのぼった。一九四〇年の時点では、「非白人」家庭のうち、未婚の女性が大黒柱だった家庭はわずか一一・三％、都市においてですら一二・四％だった（Franklin Frazier 1957, p.317）。一九七〇年ですら、この数値はたった三三％に留まっていた（*New York Times*, 5/10/1992）。」

核家族も減少していきます。つまり先進国において、少子化が問題化しているのだけれども、マツナガさん、これはなぜ？

マツナガさん　女性が社会進出していったから。

でも、核家族化した時にも社会進出はあったでしょう？　当時においては少子化には繋がらなかった。違いは何だろう？

マツナガさん　経済力というか、女性の賃金が上がった？

それもあるよね。女性が高等教育を受けるようになる、大学教育以上を受けるようになると出生率が下がる。これは顕著に下がることがトッドのような人口学者の中では結論づけられています。マツナガさんが仰ったように経済的に自立できるようになった。だいたいの先進国で、男女雇用機会均等法はあるから、就職差別はない建前になっています。他には、どういう理由があるだろう？　女性の感覚としてはどうでしょう？

マツナガさん　結婚しなくてもいい、という価値観が広がった。

結婚して、なぜ仕事もして家事もやらされて、お姑さんとの関係で悩まないといけないんだと。だからパートナーはいても、別に結婚という形を採らなくてもいいんだ、と思う人は増えてきていますよね。

それから家事労働に関しても、「なんでパートナーのパンツを自分が洗わないといけないんだ、自分のことは自分でやれ」と。そんな意識がどんどん主流になってくる。家事労働は女性がやるのが当り前、親の面倒を見るのは女性がやって当り前とされてきたことを、高等教育を受けることによって、「当り前のわけはない」とみんなが知るようになってきたわけです。高等教育によって、意識が高くなり、それまでの基準が変わった。もちろん、男性に頼らなくても収入を得る道もできた。すると、結婚という形、子どものいる家庭という形を採らない女性は増えてきます。

だから、政策として「女性にはあまり高等教育を受けさせない」という傾向がある国も存在します。旧ソ連の中央アジア諸国が未だにそうなんですよ。イスラム化することで、以前と比べて女性が高等教育を受けにくくなっています。だけれども、そんな政策は世界の主流には成り得ないよね。

結婚制度も変わっていく

高度教育を人々が受ける社会においては、少子化は必然的な構造だから、フランスなどは少子化が避けられないことを前提にして、家族制度の方を変えたわけです。つまり、シングルで子どもをつくってもサポートできるような社会にした。この問題は、日本も近未来に直面すると思います。

「家族の危機は、性行動・パートナーとの関係性・生殖を左右している世間の基準がきわめて劇的に変わったことに関連していた。変化には公的なものと私的なものとあり、それぞれ一九六〇・七〇年代に大きな変化が起きた。この時代は、異性愛者（男性より自由がずっと少なかった女性）や同性愛者、その他文化的・性的指向が規範と異なる人々にとり、公的な面での解放が進んだ非常にまれな時代だった。一九六〇年代後半のイギリスでは、ほとんどの同性愛が処罰の対象から外された。アメリカでは、イギリスに先立つこと数年前の一九六一年にはじめて、同性愛を合法化する州が現れた（イリノイ州）（Johansson/Percy, p.304, 1349）。ローマ教皇のお膝元のイタリアでは、一九七〇年に離婚が法的に認められるようになり、さらに一九七四年の住民投票でも支持された。避妊具や産児制限についての情報を売ることは一九七一年に合法化され、一九七五年になると、ファシズム政権時代から残っていた古い家族に関する法律は、新しいものに置き換えられた。そして一九七八年、中絶がようやく法で認められるようになり、一九八一年の住民投票でも支持を得た。

寛大な法律ができたことで、それまで許されなかった行為はしやすくなり、こうした問題はいっそう注目されるようになった。しかし、法律は性的規範を緩め、新たな風潮をつくったというよりは、すでに緩んでいる現状を承認するものだった。一九五〇年代のイギリスでは、期間の長短を問わず将来夫となる人と結婚前に同棲したことがある女性はわずか一％だったが、法で規制されていたからこの割合だったわけではない。また、一九八〇年代初頭にはこの割合が二一％になったことも、法のせいではない（Gillis 1985, p.307）。法や宗教、慣習的な道徳や因習、そして近隣住民からの評判ゆえに、それまで許されなかったことが、この頃になって認められるようになったのだ。

当然のことながら、こうした傾向は世界中どこでも同じように影響を及ぼしたわけではない。離婚が選択肢として可能な国のすべてで離婚件数は増えていったが（差し当たり、公的な手続きによって婚姻を正式に解消することは、どの国でも同じ意味をもつと仮定する）、それに先立って、結婚というものが安定性を明らかにかなり失っていた国もあった。他方では、一九八〇年代（非共産主義の）ローマ・カトリックの国々では、結婚はもっと長く続くものとして残っていた。イベリア半島やイタリアでは、離婚はさらに珍しく、ラテンアメリカではなおそうだった。」

こういったカトリックの国で、事実上の離婚をする時はどういう方法があると思う？　時間を遡っちゃうんですよ。つまり、離婚をするんじゃなくて、そもそも結婚が成立してなかったことにしちゃうんだ。例えば、男性か女性の、どちらかの生殖能力がなく、そのことを告知していなかった、だから子どもが生まれない、と主張するわけだね。そんな重要事項を告知していなかったのだから、そもそも結婚は成立していない。あるいは、相手がとんでもない不貞行為を行っていたと判明したから、この結婚は成立していなかった。そんな具合に、実際はけっこう柔軟に運用されていたんです。

同性愛に関しては、いま世界のほとんどの国で同性愛は認められていますが、同性愛規制の方向に動いている大国があるんです。ロシアですよ。そもそもソ連時代は、同性愛は刑事犯でした。つまり同性愛者は逮捕されて、裁判にかけられたわけです。ソ連崩壊後、同性愛に対する規定は何にもないので、禁止も肯定もされていなかったのだけれど、二〇一三年あたりから、ロシア正教会の強い主張で規制が厳しくなり始めています。

ロシア正教会はＬＧＢＴを認めていません。ものすごく伝統的な古いジェンダー観なんです。そのためロシアでは、未成年者を同性愛行為に誘うこと、それから公の場所、レストランや劇場などで同性愛行為をすることは刑事犯罪に問われるようになりました。先進国の中では別の歩みをしているんです。

家族構造の変化がもたらすもの

この章の締め括りまで読んでしまいましょうか。

「高い教養を誇りとする国であっても、例えばメキシコでは、結婚と離婚の件数は二二対一、ブラジルでは三三対一（しかしキューバでは二・五対二）だった。韓国では、めまぐるしく変化していた国にしては珍しく、伝統が続いていた（結婚十一件に対し離婚が一件）。一九八

○年代初めの日本になると、フランスの離婚率の四分の一以下で、簡単に離婚するイギリス人・アメリカ人に比べるとかなり低い割合だった。社会主義の国々（当時）ですらソ連を除くと、資本主義の世界ほどではないにせよ、さまざまだった。ソ連はアメリカに次いで、市民が結婚生活を解消したがっている国だった（U. N. World Social Situation 1989, p.36）。このように、国によって違いがあることは、驚くようなことではない。違いよりもいっそう興味深かったこと、そしていまでも関心を引くのは、同じような転換が、規模の大小はあっても、「近代化を遂げている」地域全体でみられることだ。そしてその転換がもっとも衝撃的だったのが、大衆文化、より具体的に言うと若者文化の領域である。」

さて、ウエダさん、まず家族制度が核家族化していくと、年金政策などにどんな影響が生じてくる？

ウエダさん　核家族化が進むと、家族間での介護や何かが成立しづらくなることが多いので、年金福祉制度をもっと充実させなければいけない。

まさにウエダさんが仰るように介護保険ができたのは、核家族が日本社会に定着したからだよね。特に夫側の親の介護を妻がやらされる、という縛りが緩くなった。けれど、年金はいまだに発想が核家族化してないんですよ。制度設計上、年金はそもそもどういうふうになっていた？

ウエダさん　世代間扶助。

世代間扶助だけれど、年金だけではそもそも足りないでしょう、親の暮らしには。親は何を期待していた？

ウエダさん　子どもからの仕送りですか？

そう、子どもの仕送りだったよね。私の両親も、父の両親には毎月お金を渡していました。年金だけでは暮らせないのは当然で、子どもが親に育ててもらい、教育を受けさせてもらったんだから、そのご恩を引退して年金生活に入った親へ返す。つまり、年金では生活できない親を経済的に支援する、という仕組みでした。

でも、これは核家族ではなくて、大家族制の残滓ですよね。子どもが親と一緒に暮らしたり、何人かの子どもで親の面倒を見られたりするなら成り立つシステムです。その大家族制がとうに崩れて、核家族になった。その核家族さえも少子化で崩れていこうとしている。それで年金だけで回していかないといけないと言っても、それは最初から制度設計がそうなっていないから無理なんですよ。

こうしてホブズボームを読んで、家族の構造の変化を勉強するのは、今の社会制度のさまざまな問題を炙《あぶ》り出すのに非常に重要になるわけですね。

ここでもう一度、さっきのアンダークラスという言葉を思い出しましょう。日本はずっと中流社会だと言われてきましたが、もはや実際は下流社会ですよね。マルクスによれば資本主義社会における給料は、①衣食住の費用、②少しの余暇を過ごす費用、③イノベーションに追いつくための自己教育費、そして④家庭を持ち子どもを作ることで労働力を再生産するための費用、から決定されるのですが、資本主義にとっても重要な労働力再生産——つまり子どもを養い育てるということができなくなった層が生まれている。

ウエダさん　今回、新型コロナウイルスのせいでリモートワークが増えて、人と会わなくても作業が完結するような仕事の仕組みができてきていますよね。今後、ＡＩもどんどん進んでいく。すると、人が要らなくなってくる。そうなると、アンダークラスが増えて、労働力を再生産する力が弱まっても、資本主義は微動だにしない。逆に言えば、資本主義からはじき出される人たちが増えてくる——ということはあり得るでしょうか？

原理的にないと思う。チャップリンの『モダン・タイムス』を見ても分かるんだ。機械化によって失業者が出るけれども、今度は別の産業が出てきて吸収されていくんです。馬車がなくなれば御者は要らなくなるけれども、トラック運転手や電車の運転士の需要が出てくる。それと同じように、新しい需要は転換の中で必ず出てくる。労働力の商品化は続いていくでしょうね。

資本主義社会において生きていくには、人間は自分の労働力を商品化して、それでお金を得て、他の人間の労働力が商品化された結果のサービスや商品を買わないといけない。そんなシステムで回っているのだから、仕事というのは必要なだけ出てきます。もちろん転換期には混乱が生じるにせよ、ＡＩは機械だから人間に代われないですよ。

ベーシックサービスをこそ

シガさん　質問です。ベーシックインカムが入ってきた時、もう働かなくていいですよ、とは――。

ベーシックインカムの原資ってどこ？

シガさん　税金ですよね。

税金、誰が払うの？

シガさん　労働者です。

労働者ですよね。働いていない人からは税金を取れない。だから、働いてる人から税金を取り、企業から税金を取って、働かない人間に回すことは社会的にできるだろうか？

シガさん　難しいと思います。

不可能ですよ。ベーシックインカムという考え方自体が新自由主義から出てきていて、要は「金で処理しろ」ってことですよね。でもベーシックインカムだけでは、さっきの年金同様、暮らせないでしょう？　あるいは一五万円支給されたとして、パチンコ屋へ行って一日でスッちゃった人はどうする？

シガさん　サラ金に手を出す。

サラ金は貸してくれないよ。究極的にどうなる？

シガさん　犯罪を……。

社会的に許されないでしょう。だから、ベーシックインカムで足りなければ飢えて死ね、ってことですよ。「それでいいんです、仕方ないでしょ」ってことですよ、自己責任の立場から言えばね。

ベーシックインカムというのは絵に描いた餅ですよ。特に経済的な弱者は生活習慣自体が弱いから、すぐ使っちゃうでしょう。お金が何にでも変わるのが資本主義ですからね。それにベーシックインカムを実行するとなったら、憲法改正をしなくちゃいけない。だって日本国憲法で三大義務の一つは、勤労の義務でしょう。働かないでお金を貰えるなら、これを外さないといけないですよ。そんな制度のために憲法改正しましょうと言って、国民投票を通ると思います？　第一、国会を通らないでしょう。

一方、慶應義塾大学の井手英策《いでえいさく》さんが言っているのは「ベーシックサービス」ですよ。例えば、住宅のない人に住宅を供給する。やり方としては、貨幣ではなくて、住宅にしか使えない「住宅券」を供給し、それを家賃に充てる。食事だったら「食事券」を供給する、あるいは無料食堂をつくる。もしくは保育所へ無料で預けられるようにする。必要な人にだけ必要な分のサービスを提供するというベーシックサービスをやっていくと。これはいい手だと私は思うよ。

このベーシックサービス的なことをきちんとやっているのが兵庫県の明石市です。あそこの泉房穂《いずみふさほ》市長は全小学校区にこども食堂をつくって、非常に廉価で食べられるようにしています。それから明石駅前のパチンコ屋とサラ金と風俗を追い出して、「パピオスあかし」というビルに図書館とジュンク堂書店を入れ、さらには大型遊具のある施設もつくりました。東京ドームにある「アソボ〜ノ！（ASOBono!）」みたいな施設で、通常だったら一時間一五〇〇円ぐらい取られそうな親子のためのプレイルーム。これを明石市民は入場料タダにした。そうやって子育ての支援も、住宅を建てる時の支援もやっていく。ベーシックサービスの点で、すごく模範的な市になっているんです。

そのおかげで、人口が社会増だけでなく、自然増にもなっているんですよ。三年くらい前に市長と会った時、「保育士不足がないから、待機児童がいない」と言うんですね。「どういう政策やったんですか？」って訊いたら、保育士の賃金をドカンと大幅に上げたんだって。そうしたら、近隣地区から優秀な人たちが大勢集まってきたと。だから、明石市のやっていることはある意味、近隣糾合化政策でもあるんです。

市長は弁護士出身で衆議院議員を一期やっているから、国の仕組みを分かっているんです。彼が言うには、

「地方の再建が失敗するのは、何でもかんでもやろうとするからだ。住む、働く、学ぶという三つの大きな機能のうち、明石は「働く」と「学ぶ」を放棄したんです。だから、工場の誘致とか企業の誘致はしない。そんなの、どうやっても、神戸や大阪にかないっこない。そして、無理して明石へ学校を持ってくる必要もない。学ぶのにも神戸か大阪へ行くだろう。ただし、「住む」こと、暮らしの環境だけはベストにする」

そんな考え方でした。選択と集中で、暮らしに特化するというわけです。

この予算をどこから捻《ひね》りだしたかと言うと、元々は下水道を太くする工事が予定されていたんですって。これが数年がかりで何百億円とかかる。この工事は何のためかと言えば、今の下水道のままだと七〇年に一度、床上浸水が数軒起きる可能性があるんだと。それをなくすための工事だった。そこで市長は、「床上浸水が数軒起きたら、俺が謝りに行って、市として補償をすればいい。その分を子育て支援にしよう」と主張して予算をつくったんだ、と言っていました。

ベーシックサービスは、そんなふうに自治体の長さえしっかりしてれば、地方自治体のレ

ベルでもかなりできるんですよ。こういう微調整をしながら、資本主義は続いていくんだなと私は見ています。

シガさん　いま「市長は国の仕組みを分かっている」と仰いましたが、日本全体にアンダークラスが増えている状態で、教育などの問題もあるのに、国があまり介入しないな、という感想を持つのですが……。

ベーシックサービスに関して、国は興味を持っていないわけではないけれども、やり方がよく分からないんだと思うんですよ。仮に官僚が内閣総理大臣に情報や政策を上げようとしても、持ち時間がすごく少ないんです。総理大臣にブリーフィングへ行くときは最大でA４の紙三枚まで。それ以上の情報は入らないんだ。

そうなると、教育にものすごく強い関心を持った総理大臣が誕生して、特に教育格差を是正することを自分の政治生命を賭して行うくらいの意気込みでやらない限りは、なかなか変わらない。そして残念ながら、そんなに熱心な文教族はあまりいない。その意味において、今の教育は非常に深刻な状況になっています。

私は、ゆとり教育をみんな勘違いしていると思う。ゆとり教育の最大の問題は、学習指導要領の教える量を三割減らしたことではない。学習指導要領の性格を変えたことが問題なのです。

それまでの学習指導要領は「これ以上、教えてはいけません」という上限を示すものでした。それがゆとり教育の時に「これだけは教えないといけない」という下限になったわけです。そのかわり、上限がなくなった。上は青天井になったんです。

そのために私立や国立の学校、あるいは公立でも難関校は、どれだけ早回しで教えても構わないことになった。こうして、一方で受験エリートがどんどん生まれ、もう一方では教師が行きたがらないような教育困難校が増えていく。後者の方ではアンダークラスを再生産していくわけだよね。せめて「九月入学」とか制度改革をする時に乗じて、うまくリセットする手もあったと思うんだけど、「混乱する」という現場の声に自民党も公明党も押されて引っ込めちゃったよね。

中流幻想国家の実態

このアンダークラスの問題は、スタートは教育から始まって、家庭も持てない、さらに子どもをつくれない、ということになっていく。でも、そこのケアまでには政府も手が回っていないように見えます。

ケアをしていないから、乱暴なことを言うと、アンダークラスに陥った四〇代の人たち、もうそろそろ雇い止めになって、職を失っていく時期ですよ。どうなる？　生活保護を受けても、貧困ビジネスの食い物になって、蚕棚《かいこだな》みたいな所に住んで、非常に孤独な形で亡くなっていくのだろうか？　それを見て、二〇代、三〇代はどう思う？

シガさん　希望が持てない。あるいは、あんなふうになりたくない。

そうすると、自分の身は自分で守らないといけないとなってこない？　とにかく一人でいるのはやばいから、やはり同性婚も含めて、パートナーを見つけて結婚したい。でも、子どもをつくる余裕はない。そんな彼らは政治に何を期待する？　変化が起きて、改革が起きると、長い目で世の中が改善されるとしても混乱する可能性はある。それよりも、取りあえず今より悪くならない方がいい。改革と安定、どっちに転ぶと思う？

シガさん　安定でしょうね。

そうでしょ。だから改革か安定かが争点の選挙では、安定の方が有利でしょう。それから先行きが不安で不透明で、少しでも手元に可処分所得を置いときたいから、できるだけ税金は払いたくないよね。となると、消費増税を行って「高負担、高福祉」で高度福祉国家にするシナリオもなくなる。

どうも日本の先行きは、このまま回っていくと、ものすごく苦しい状況になることは目に見えているんだよね。しかもコロナがそれを加速したと思う。だから五年後の日本は、今のまま手を拱《こまね》いていると、かなり悲惨な状況になります。今、制度設計をやらないといけないし、政府はそれなりに一生懸命だと思うけれど、それがうまく見えてきませんよね。

今回の新型コロナウイルスによって、ヨーロッパの経済がひどいことになっています。ただ、ヨーロッパはやはり怖い社会で、基本的に階級社会だから、下層の連中が厳しい状況にいたとしても、「ま、それはそんなもんだよね」って冷たいところがある。ヨーロッパにおいては、日本と違って「全体がフラットだ。フラットでないといけない」という意識はないからね。これはベストセラーになったブレイディみかこさんの『ぼくはイエローでホワイトで、ちょっとブルー』（新潮社）を読むとイギリスの雰囲気がよく分かりますよ。

シガさん　日本でも、コロナをきっかけにして、階級社会のような格差社会が定着していくのでしょうか？

というか、日本の場合には「全体がフラットだ」と言いながら、さっきチラッと言いましたが、もはやほとんどの人は下流なんですよ。にもかかわらず、今でも九〇％以上が中流と思っている。中流幻想は崩れていないんですよ。だって、現実を見つめて、「自分は下流だ」と認めるのは惨《みじ》めですからね。

九〇％以上ということは、いわゆるアンダークラスの人も自分は中流だと思っているわけです。これはヨーロッパにもアメリカにもない現象ですよ。こういう国においては、やはり「階級」という切り口はなかなか出てこないと思います。

その代わり、逆に富裕層もお金を持っていることを言いませんからね。生活水準も見た目ではっきり分かるほど派手なわけでもない。でも、内実はどんどん格差が開いて、事実上の階級差の拡大は進んではいるんです。

中央大学教授の山田昌弘さんの『底辺への競争』（朝日新書）と先に挙げた橋本健二さん

の『新・日本の階級社会』の二冊を読めば、コロナ後はこの拡大が加速することがよく理解できますよ。

東村アキコさんの漫画『東京タラレバ娘 シーズン2』（講談社）の主人公、三〇歳直前の廣田令菜は独身で、アルバイトや派遣で暮らしていて、いいレストランにも行かず、コンビニで買ったものを食べ、ネットフリックスを見ることでハッピーなんです。あれは三〇歳前後の人たちのリアルな生活感に近いと思うな。平成の三〇年でと言ってもいいし、「短い二〇世紀」が終わってからの三〇年でと言ってもいいですが、生活レベルは大きく変わりました。それなりに生活満足度が高いわりに低収入、というあり方はこれからどんどん当り前になっていくでしょう。

もうひとつ言い添えると、先に触れた斎藤環さんと與那覇潤さんの『心を病んだらいけないの？』は書名通り、「いや、心を病んだっていいんだ」という趣旨で書かれていますが、これからの社会で心を病む人、引きこもりの人などはますます増えていくことも間違いない。これは斎藤さんの専門でしょうが、新型コロナウイルス対策で出て来たステイホームやリモートワークというのは、引きこもり対応ですよ。もうすぐ、引きこもりでも働ける世の中になる、あるいは引きこもりでも働かざるを得ない世の中になるかもしれませんね。

家族に代わるもの

こうして話していくと、なぜ今回の講義の最後に家族の構造について、みなさんと一緒に読んだか、だんだん見えてきたでしょう？　コロナ後の社会において、大きい意味での「家族」というものが重要になってくる可能性が高いからです。

今まで、さまざまな危機――恐慌であったり、戦争であったり――が起きると、家族が吸収弁になり、セーフティネットになりえていたのです。なぜそれが可能だったかと言うと、核家族がいまだ完全には成立しないで、問題は家庭内で解決していくという処理がまだできていたからですよね。

ところが今や核家族が完全に完成し、さらには核家族自体が解体していっている。シングルの人も増えているし、一人親の家庭も増えている。もはや、なんらかの危機が起きた時に家族という形では吸収弁にはならないんじゃないか――。そして、正規雇用の人でさえ、企業をアテにできなくなったのは先に触れた通りです。

これは日本だけでなく、先進国においては世界的な現象なんだけどね。コロナ後にきっと来る危機の時代のために、われわれの立ち位置を見据えて、家族に代わるものがあるのか、という問題を提起しておきたかったのです。次のセーフティネットとなるべき新しい共同体やアソシエーションや直接的人間関係をいかに構築していくかが、今後のわれわれの大きな課題になるように思います。

誰かに命令されたわけではなく、自発的・自然発生的に集まった人間関係の中でセーフティネット的な領域をつくっていかないといけない。無理はしないで、できる範囲で、金銭や利害が絡まない関係性が大事になってきますよ。というか、そういう関係を大切にして、意識的に育てていかなければならない。

何かがあった時に、自分を助けてくれる友達を持っていること。あるいは、同じように自分が助けてあげることのできる友達を持っていること。二、三人でいいんです、家族以外で本当に信頼のできる友達がますます重要になってきます。結局、危機を克服してくれるのは、人間と人間の具体的な関係なんですよ。そこから社会を少しずつでも強くすることはできるのではないでしょうか。

では、最後の問題を出しておきましょう。

問9　ファシストの右派と伝統的右派の違いについて説明せよ。二〇〇字程度で書いて下さい。

問10　アイデンティティ・ポリティクスについて説明せよ。これも二〇〇字。

問11　核家族が持つ意味について述べよ。核家族とは何かも説明して下さい。二〇〇字で。

二日間、どうもお疲れさまでした。この講義が、新型コロナウイルスが収まった後に来る新しい世紀への備えになれば嬉しいです。

あとがき

本書では、コロナ禍によってグローバリゼーションに歯止めがかかり、国家機能が強化されるとともに格差が拡大するとの予測を基に思索を進めた。格差は、国家間、国内地域間、階級間、ジェンダー間という4つの位相で同時的にかなり速く進む。その結果、深刻な社会的危機が起きる。

この危機に対する処方箋として、合法的な暴力を独占する国家によって格差を是正する動きが世界的に強まる。これがファシズムの処方箋だ。もっともファシズムは「絶対悪」とのレッテルが貼られているので、公然とファシズムを政策に掲げる政府や政党は出てこないであろう。法と秩序、安定、強い指導者といった言葉を使って、行政権が司法権、立法権に対して優位に立つという形で、既に21世紀のファシズムがわれわれの目の前に姿を現している。この現実を正視しなくてはならないと筆者は考える。だから、20世紀の歴史から学ぶことが重要になるのだ。

格差社会を克服するもう一つのシナリオが社会主義だ。理念としてはさまざまな社会主義が存在するが、実際に権力を掌握したことがあるのはスターリン主義（ソ連型社会主義）だけだ。本書の基となった新潮講座では、もっぱらファシズムに対して警鐘を鳴らすことを重視したので、スターリン主義の危険については、ほとんど言及しなかった。しかし、国際的にはほとんど影響をなくしたスターリン主義が、日本ではいまも無視できない影響力を持っている。そして、コロナ禍でその影響力を強めている。

「桜を見る会」や日本学術会議をめぐる政権批判のアジェンダ（テーマ設定）を行ったのも日本共産党だ。日本共産党は、野党第一党である立憲民主党と選挙協力し、政権奪取を本気で考えている。日本共産党は、出自自体がコミンテルン（共産主義インターナショナル＝国際共産党）日本支部だったことからも明らかなようにスターリン主義政党だ。新潮講座を実施した時点で、国際的な影響力の減退という点に目を奪われ、日本でスターリン主義政党が未だ影響力を維持していることが見えなかった。しかし、最近、ある出来事に遭遇して、日本共産党の危険性（独善的体質とデマゴギー）を再認識することになった。この場を借りてその出来事について説明する。


日本共産党中央機関紙「しんぶん赤旗」（2020年11月19日）が、「フェイクの果ての「赤旗」攻撃／菅官邸を擁護する佐藤優氏の寄稿」（三浦誠社会部長署名）と題し、筆者を名指しで非難する記事を掲載した。「赤旗」は、日本共産党の公式の立場を反映する媒体だ。共産党が筆者に対して、〈佐藤氏を知るメディア関係者は、「官邸の代弁をしている」といいます〉という印象操作をしている。筆者が「官邸の代弁をしている」などというのは事実無根だ。このようなレッテル貼りは自分の責任で文章を綴っている職業作家に対する侮辱だ。

「赤旗」は記事の冒頭で、こう記す。〈元外務官僚で作家の佐藤優氏が『文藝春秋』（12月号）への特別寄稿で、菅義偉首相による日本学術会議への人事介入を報じた「しんぶん赤旗」のスクープが、事態を混乱させた原因であるかのように書いています。「文春オンライン」も、「赤旗のスクープで交渉の余地がなくなった」との見出しで紹介記事を載せています。／その趣旨はこうです。／――「赤旗」に出なければ、任命拒否の内示を受けた時点で学術会議の山極寿一会長（当時）がすぐにかけ合えば、「官邸と学術会議の間で交渉の余地はいくらでもあった」。／――菅首相や官邸中枢が主導的な役割を果したと思えず、〝もらい事故〟だった。／――菅首相には「学問の自由」に介入する意図はなかった〉。筆者は『文藝春秋』への寄稿「権力論――日本学術会議問題の本質」で書いた内容を「赤旗」の非難記事を読んだ上でも変更する必要はまったく感じていない。

　共産党の論拠は、破綻している。「赤旗」の記事では、こんな主張が展開されている。〈スクープの端緒は、松宮孝明・立命館大学教授が、任命拒否されたと9月29日にフェイスブックで公表したことです。この事実について「赤旗」は隠していませんし、公表もしています。『文藝春秋』と同時期に発売された『世界』（12月号）は、松宮教授が公表していると正確に記しています〉。問題は、松宮氏以外の数人を菅首相が任命しなかった事実を「赤旗」がどのように知ったかだ。この点について、「朝日新聞」の取材に対して、小木曽《こぎそ》陽司「しんぶん赤旗」編集局長が述べた内容が興味深い。〈赤旗は10月1日、1面に「菅首相、学術会議人事に介入」との白抜きの横見出しを掲げ、日本学術会議が推薦した候補者の任命を菅義偉首相が拒んだことを報じた。多くのメディアがその記事を後追いした。／小木曽氏によると、取材のきっかけは任命を拒まれた学者の一人がフェイスブックに書き込んでいた情報。共産党参院議員がシェアしたのに小木曽氏らが気付いた。記者数人で一斉に取材し、1日で原稿を完成させたという〉(11月28日「朝日新聞デジタル」)。松宮氏がフェイスブックに自らが学術会議メンバーに任命されなかった事実を記したのは9月29日だ。それ以外の数人に関する情報に関して、小木曽編集局長自身が、「記者数人で一斉に取材し、1日で原稿を完成させた」と述べている。この時点で、開示されていない情報を「赤旗」は何らかの方法によって入手したのだ。首相官邸から見れば、これが「情報漏洩」になる。そもそも政府が秘匿する情報に関するスクープは、政府からすればすべて「情報漏洩」だ。「情報漏洩」をいかに巧みに官僚に行わせ、国民の知る権利に奉仕するかということがマスメディア関係者の職業的良心だ。もっとも「赤旗」の場合、目的は国民の知る権利ではなく、日本共産党の「党益」(日本における共産主義革命の土壌を整備すること)に奉仕するためだ。日本共産党は、破壊活動防止法の調査対象になっている革命政党だ。革命政党の論理として「党益」のためにいかなる手段を用いてでも情報を入手することは筋が通っている。

三浦誠「赤旗」社会部長は、〈「赤旗」に佐藤氏から、事実関係について問い合わせはありません。当事者に取材せぬまま、〝情報漏洩〟と不正に情報を入手したかのように虚偽の内容を書いています。/根拠を示さず、事実をゆがめて、政権の行為を正当化する――。典型的なフェイクニュースの手法です。学術会議問題では、与党政治家らがネットでデマを流し、あたかも会議側に問題があるかのように〝世論誘導〟をしています。佐藤氏の寄稿も、それらと同一線上にあります〉と筆者を非難する。「赤旗」が、不正に情報を入手したのではないと強弁するならば、情報源をすべて開示して見よ。それができないならば、共産党の「党益」に反するという理由で、筆者がフェイクニュースで「官邸の代弁」をしているなどという醜悪な宣伝（プロパガンダ）をすべきでない。共産党が恥をかくだけだ。もっとも「党益」のために、事実を曲げることを躊躇しないというところにスターリニズムの凄みがある。

筆者は高校生の頃からマルクス主義に興味を持ち、それは同志社大学神学部、大学院神学研究科で神学を勉強したときも、外交官になってからも続いている。職業作家になってからも『いま生きる「資本論」』『いま生きる階級論』（共に新潮文庫）、『「資本論」の核心』（角川新書）、『キリスト教神学で読みとく共産主義』（光文社新書）、『21世紀に「資本論」をどう生かすか』（鎌倉孝夫氏との共著、金曜日）などマルクス主義や『資本論』に関する20冊近くの書籍を上梓した。しかし、日本共産党のマルクス主義解説や『資本論』研究からは知的刺激をほとんど受けない。日本共産党は、マルクスの系譜とはほとんど関係ない、日本的な家父長的指導体制と組織（党という物神）に対する信仰から生じる宗教団体であるという認識を「しんぶん赤旗」による筆者に対する攻撃を通じて皮膚感覚で強めた。

本書を上梓するにあたっては、新潮社の伊藤幸人氏、上田恭弘氏、小林由紀氏、楠瀬啓之氏にたいへんにお世話になりました。どうもありがとうございます。新潮講座に参加してくださった受講生の皆様にも感謝します。

2021年1月6日、曙橋（東京都新宿区）の自宅にて、
長毛の雄猫ミケを膝に抱きながら

佐藤優

本書は二〇二〇年五月三〇～三一日に行われた佐藤優氏のオンライン新潮講座「コロナ前・コロナ後と民主主義の変容――「戦間期」に何を学ぶか」を活字化したものです。
登場する受講生は全て仮名としました。

新潮講座ホームページ　https://kohza.shinchosha.co.jp/

装画
ピーテル・ブリューゲル（父）「農民の踊り」

装幀
新潮社装幀室

新世紀《しんせいき》「コロナ後《ご》」を生《い》き抜《ぬ》く

発行――二〇二一年一月二五日

著者――佐藤《さとう》優《まさる》

発行者――佐藤隆信
発行所――株式会社新潮社
〒162-8711 東京都新宿区矢来町七一
電話 編集部(03)三二六六―五四一一
読者係(03)三二六六―五一一一
https://www.shinchosha.co.jp
印刷所――錦明印刷株式会社
製本所――株式会社大進堂

乱丁・落丁本は、ご面倒ですが小社読者係宛お送り下さい。送料小社負担にてお取替えいたします。

価格はカバーに表示してあります。

ISBN978-4-10-475217-1 C0095